Cómo PROSPECTAR, VENDER Y CONSTRUIR

TU NEGOCIO DE REDES DE MERCADEO

CON HISTORIAS

TOM "BIG AL" SCHREITER

Para información, contacte:

Fortune Network Publishing
PO Box 890084
Houston, TX 77289 Estados Unidos

Teléfono: +1 (281) 280-9800

ISBN: 1-892366-60-6

ISBN-13: 978-1-892366-60-3

DEDICATORIA

Este libro está dedicado a los empresarios de redes de mercadeo de todo el mundo.

Viajo por el mundo más de 240 días al año impartiendo talleres sobre cómo prospectar, patrocinar, y cerrar.

Envíame un correo electrónico si quisieras un taller "en vivo" en tu área.

BigAlsOffice@gmail.com

TABLA DE CONTENIDOS

PREFACIO

La historia recuerda a los que cuentan grandes historias.

¿Por qué? Debido a que fueron los mejores comunicadores.

¿Y no es esa la habilidad que los empresarios de redes de mercadeo necesitan más? Comunicar el mensaje dentro de nuestra cabeza... y hacerlo llegar dentro de la cabeza de nuestros prospectos, para que puedan ver lo que nosotros vemos.

Estas son las historias que utilizo para comunicar con prospectos y empresarios de redes de mercadeo. Algunas de las historias son tan viejas, que es difícil rastrear al compositor original.

Si deseas unirte a los constructores elite en redes de mercadeo, sólo recuerda esta frase:

"Los datos hablan. Las historias venden."

Así que no tomaré mucho tiempo en este libro explicando cómo es que las historias funcionan. En lugar de eso, sólo compartiré historias.

—Tom "Big Al" Schreiter

No Es Lo Que Decimos, Lo Que Importa Es Lo Que La Gente Escucha.

Debemos de influenciar a la gente a que nos crea. No predicar. No sermonear. No educar. Debemos atravesar la negatividad de nuestros prospectos, sus malas programaciones, su resistencia a las ventas, su escepticismo... y esto es fácil de hacer.

Con una historia.

* Las historias no levantan la resistencia a las ventas.

* Las historias son fáciles de recordar.

* Las historias hacen que las personas tomen acción.

* La gente está programada para escuchar historias.

* Las historias hablan a la mente subconsciente de los prospectos.

* Y las historias son divertidas de escuchar.

Para ser más profesional, todo lo que debemos de hacer es dejar de hacer presentaciones llenas de datos y simplemente poner nuestra información dentro de una historia. Recuerda, "No es lo que decimos, lo que importa es lo que la gente escucha."

Las historias son la mejor manera de comunicarnos con nuestros prospectos. Son rápidas, eficientes, y los prospectos las entienden rápido. De hecho, una simple historia puede reemplazar tu presentación de negocio por completo. ¿De verdad?

Sí. Echemos un vistazo a patrocinar gente joven. En lugar de una larga presentación sobre ingresos residuales, porcentajes de compensación, investigaciones increíbles, y otros temas aburridos, vayamos directo al punto y hagamos que nuestro joven prospecto tome una decisión inmediata de unirse a nuestro negocio. ¿Cómo? Con una mejor historia, por su puesto. Y la historia no tiene que ser larga. Intentemos esto.

La Historia de Ucrania.

Estaba hablando con un grupo de distribuidores en Ucrania. Posiblemente, yo era la persona más joven del salón y, ¡hey, ya estoy viejo! Así que pregunté al grupo:

–¿Qué dicen para mantener alejados a los jóvenes?

Aparentemente, estos ucranianos no tenían sentido del humor. Estaban molestos. Gritaron: –¿A qué te refieres con que decimos algo para alejar a los jóvenes?

Así que pregunté: –Bueno, ¿qué es lo que le dicen a los prospectos jóvenes?

¿Su respuesta?: –¡Les decimos que se pueden jubilar diez años antes con nuestra maravillosa oportunidad!

***

Bueno, para un chico de 18 años, jubilarse diez años antes no es muy motivador. Los ucranianos estaban contando la historia equivocada. Si yo estuviese hablando con jóvenes en Estados Unidos, quizá usaría la siguiente historia:

Ted y Rick.

Ted se gradúa de la universidad y comienza a subir por la escalera corporativa. Todos los días trabaja largas horas. Pasa los sábados trabajando en proyectos para salir adelante. No hay tiempo para deportes, no hay tiempo para relaciones, y no hay dinero para ahorrar. Cada mes revisa sus metas para ver qué tan lejos puede subir en la escalera corporativa. Juntas extras, proyectos extras. Gradualmente, Ted comienza a subir a la cima. Y después de 18 cortos años, Ted tiene su oportunidad. Él puede convertirse en el próximo nuevo, semi-joven, gerente de la compañía. Pero el dueño le da el puesto de gerente a su recién graduado nieto, quien de inmediato despide a Ted.

Ted perdió 18 años de su vida, su dignidad, su duro esfuerzo, y de nuevo, está desempleado.

El amigo de Ted, Rick, también sale de la universidad, pero toma un empleo ordinario. Sin embargo, Rick hace algo diferente. Por las tardes, después del trabajo, Rick comienza con su negocio de tiempo parcial en redes de mercadeo. Cuatro años después, Rick despide a su jefe, y vive el resto de su vida con las ganancias de su negocio de redes de mercadeo.

***

Eso fue simple. Con sólo unas pocas palabras, un joven comprende que trabajar su negocio ahora, puede redituar después. No tuvimos que convencer a nadie, venderle a nadie, o suplicar.

Debido a que es una historia, fue aceptada de inmediato dentro de la mente de nuestro prospecto. No tuvimos que luchar para hacer que nuestro mensaje llegara al interior de la cabeza de nuestro prospecto.

Yo me uní a una red de mercadeo debido a una historia. Yo tengo una personalidad "verde", muy analítico. Aún así, fue la historia la que compré. Esto es lo que sucedió.

Respondí a un anuncio en el periódico y asistí a una junta de oportunidad un sábado por la mañana. ¡Duró tres horas! Y vaya que fue rara.

En al salón, 150 personas estaban vitoreando. Parecían una bola de hippies comunistas, anti-gobierno. La junta trató de cómo estaban limpiando su cuerpo, de cómo salían cosas extrañas de su colon y de cómo querían escapar del plan de los 40 años.

Hubiese salido antes, pero tenían guardias armados al fondo del salón. Finalmente, después de tres horas de tortura, la junta terminó. Mientras me escurría fuera del salón, un hombre me detuvo y dijo: –¿Tú eres la persona que respondió a mi anuncio?

¿Cómo lo supo? Después me enteré que yo era el único invitado. El resto ya eran distribuidores.

Así que respondí: –Sí, yo respondí al anuncio. Pero no estoy interesado. Escuché toda la junta. No es para mí.– Después de tres horas de datos, dije: –No.

Pero aquí está el poder de una historia. Todo lo que mi patrocinador hizo fue contarme una pequeña historia. Sólo tomó unos **30 segundos**. Al terminar la historia dije: –¿Cómo ingreso?

¿Entiendes? Tres horas de datos, no hay venta. Una historia de sólo 30 segundos, estaba dentro.

Ese es el poder de una historia. ¿Quieres saber la historia que me contó? Aquí está.

Despide al Jefe.

–Big Al, cuando te unes a nuestro negocio, esto es lo que pasa. Dentro de seis meses, vas a entrar a la oficina de tu jefe. Te vas a sentar en la silla, vas a poner los pies sobre el escritorio, vas a dejar unas marcas de polvo con los zapatos.

Pones las manos detrás de tu cabeza y tranquilamente le dices a tu jefe que ya no lo puedes meter en tu agenda. Que has disfrutado trabajar ahí, pero si tienen algún problema después de que te retires, te pueden llamar cualquier martes por la mañana a las 11am, con tu tarifa normal de asesoría.

Después te levantas de la silla, caminas a tu escritorio, tomas tus pertenencias, te despides de todos tus compañeros que dijeron que no lo lograrías, subes a tu nuevo auto, conduces al banco, llegas con el cajero para depositar tu cheque y le dices: –Oh, no lo sé. Deposítalo en la de ahorros o en la de cheques. La verdad no importa. Me llegan estos cheques cada mes.

Y después vas a casa, te relajas, y tomas un buen vaso de tu bebida favorita.

***

Al terminar esa historia dije: –¿Cómo ingreso?

¿No te hubiese gustado afiliarme en tu negocio de redes de mercadeo? Bueno, si hubieses usado datos, presentaciones de PowerPoint, videos, panfletos y reportes de investigación... hubieses fallado. Fue una historia la que me inició en redes de mercadeo.

Los empresarios exitosos en redes de mercadeo son geniales contando historias. La mayoría de los líderes en la cima son geniales contando historias. ¿No deberías de hacerte genial contando historias?

Las Historias Pueden Ser Muy Cortas.

Algunas veces hablamos demasiado y nuestras presentaciones generan objeciones. Una objeción que asusta a los nuevos distribuidores es la objeción de la pirámide.

Usualmente la objeción de la pirámide no es acerca de que el prospecto se preocupe por estar en una pirámide ilegal. En lugar de eso, es sólo una objeción conveniente que el prospecto usa para detener una larga presentación.

Pero imaginemos que alguien dice: –¿Es una pirámide?

Aquí está cómo el profesional en redes de mercadeo Robert Butwin responde ésta objeción. Él usa una historia que cambia por completo el rumbo de la conversación. Esto es lo que él dice.

¡Es Pirámide!

–Antes de responder tu pregunta, ¿está bien si te hago una pregunta rápida?

Cuando estabas recibiendo tu educación en la escuela, si tus profesores hubiesen recibido un pequeño porcentaje de tus ganancias por el resto de tu vida, ¿crees que tu educación hubiese sido un poco mejor?

El prospecto responde: –Sí, por supuesto.

Robert continúa: –Bien, así funcionan las redes de mercadeo. Tu patrocinador quiere enseñarte y darte el entrenamiento para que seas tan exitoso como sea posible, por que la única manera en la que tu patrocinador puede ganar dinero es haciéndote exitoso.

***

Y con esta simple y breve historia, la objeción desaparece y es reemplazada con un beneficio.

Alimento para el Pensamiento.

Una pareja de esposos sale a cenar a un restaurante dos veces por semana. Gastan $160 al mes comiendo fuera de casa. Suben de peso.

Otra pareja de esposos invierte $160 al mes en su propio negocio de redes de mercadeo. Permanecen delgados y saludables. En unos pocos años, se retiran.

***

Me agrada esta breve historia. Abre la mente de los prospectos y les hace saber que un pequeño cambio en su comportamiento los puede hacer exitosos.

También, cuando uso esta historia, no recibo la objeción: –No puedo pagarlo.– Ya están gastando el dinero que necesitan para participar en su propio negocio de redes de mercadeo. Ahora es cuestión de elegir. ¿Prefieren seguir saliendo a cenar o prefieren eventualmente ser dueños del restaurante?

¿Cómo funciona una red de mercadeo? Se describe mejor con una historia.

La Tienda de Abarrotes.

Imagina que voy a la tienda de abarrotes y compro una soda de dieta y 44 barras de caramelo. Pago por mis artículos y me voy.

Tu estás justo detrás mío y compras una soda dieta y 44 barras de caramelo. Pagas por tus artículos, pero justo antes de salir, muestras tu tarjeta de lealtad. La tienda te da algunos puntos gratis para que eventualmente puedas ir a Hawai.

Bien, así funcionan las redes de mercadeo. Ambos hicimos exactamente lo mismo, pero tu conseguiste algo extra. Un viaje a Hawai.

Pero se pone mejor. El dueño de la tienda te llama y dice: –Hey, veo que has estado usando tu tarjeta de lealtad. Nos gusta darte puntos. Por favor dile a tus vecinos acerca de nuestra tarjeta de lealtad para que vengan y compren con nosotros. Cuando tus vecinos vengan y compren aquí, les daremos su propia tarjeta de lealtad. Ahora, cada vez que ellos compren, les daremos sus puntos para que puedan ir a Hawai contigo. Y por ayudarnos y hacer que tus vecinos se enteren de nuestra tarjeta de lealtad, cada vez que le demos puntos a tus vecinos, vamos a darte puntos extra a ti también, para que puedas ir a Hawai más pronto.

Bueno, así es como funciona una red de mercadeo, excepto que nosotros no damos puntos, nosotros damos efectivo.

***

Al terminar esa historia los prospectos dicen: –Bien, sí, tiene sentido.– Y habrás cambiado por completo su creencia sobre las redes de mercadeo.

Usa tu imaginación. Puedes usar este mismo tipo de historia para describir los programas de lealtad de las aerolíneas.

Los Prospectos Tienen Miedo.

Todo prospecto quiere lo que ofrecen las redes de mercadeo, pero aún así, titubean. ¿Por qué? Miedo a lo desconocido, miedo al fracaso y miedo a lo que otros dirán si no son exitosos. Estos tres miedos previenen a la mayoría de los prospectos de comenzar.

Una simple historia puede aliviar esos miedos para que nuestros prospectos se afilien, aprendan y se beneficien de nuestro negocio de redes de mercadeo. Veamos más historias de ejemplo.

La Máquina Nueva.

Imagina que estás sentado en el trabajo y tu jefe llega y te hace esta propuesta:

–Hemos comprado una máquina nueva para la compañía y necesitamos entrenar a alguien para operarla. Deberás asistir a clases nocturnas tres días por semana durante nueve meses para aprender cómo operar esta máquina. No te pagaremos por asistir a las clases, pero una vez que te gradúes, serás nuestro operador de máquina y recibirás un aumento de $1,500 por mes. ¿Qué piensas?

La mayoría de las personas respondería: –¡Sí! Podría tomar tres noches por semana durante nueve meses para el entrenamiento y así conseguir un aumento de $1,500 al mes.

¿Y no es eso lo que tu oportunidad de redes de mercadeo ofrece? Si de verdad dedicaras tres noches por semana durante nueve meses, deberías tener suficientes distribuidores para ganar fácilmente esos $1,500 extra al mes.

Ahora, tu empleo actual no te ofrece la oportunidad de trabajar tres noches por semana para conseguir un aumento enorme, pero nuestra oportunidad de redes de mercadeo, sí.

***

Las historias nos ayudan a comunicarnos mejor. Las historias pueden proveer ejemplos con los que nuestros prospectos pueden relacionarse. Aquí está una historia más larga, que también ayuda a los prospectos temerosos.

Buenas Noticias y Malas Noticias.

Imagina por un momento que estás sentado en tu escritorio en el trabajo. El jefe llega contigo y dice: –Tengo buenas y malas noticias.

Tu contestas: –Soy valiente, dame las malas noticias.

El jefe dice: –Bueno, las malas noticias son que estás despedido.

En ese momento estás pensando: –Ay, esas son malas noticias. Esas son muy, muy malas noticias. Si me despiden, tengo que ir a casa y decirle a mi esposa que me han despedido, y eso sería bastante vergonzoso. ¿Qué tal si no puedo encontrar otro empleo durante un año entero? ¿O qué tal si el nuevo trabajo no paga tan bien, o qué tal si el nuevo trabajo queda muy lejos y tengo que luchar contra el tráfico mientras me transporto? ¿Qué tal si las personas del nuevo trabajo son malas? Oh, estas son muy, muy malas noticias.

Entras en pánico y le dices a tu jefe: –Oh cielos, éstas son noticias terriblemente malas. Y, ¿cuáles son las buenas noticias?

El jefe responde: –Bien, las buenas noticias son, que tienes el resto del día libre.

Ahora el pánico te invade por completo. –¡Arrgh! ¡Oh no! No quiero que me despidan. ¿Hay algún modo en que me puedas conservar?

El jefe dice: –Bueno, hemos subcontratado la mayoría de nuestros puestos, para que podamos mantener unas pocas personas. Si te gustaría ser de las personas que permanecen en nuestro personal, debes de estar de acuerdo en trabajar una hora extra diariamente, sin goce de sueldo, de lunes a viernes, desde las 5:00pm hasta las 6:00pm. Si trabajas esa hora extra, sin sueldo, a diario, podemos costear el que te quedes.

Como la mayoría de las personas trabajadoras con familia y obligaciones de deudas, dices: –Sí, trabajaré esa hora extra para conservar mi empleo.

El jefe sonríe: –Genial. Gracias por ser un jugador de equipo. Sé que la hora extra será un sacrificio, pero como eres un jugador de equipo y estás dispuesto a ayudarnos en estos tiempos duros, déjame decirte lo que nuestra compañía hará por ti:

–Si trabajas tu horario regular y tu hora extra, durante los próximos dos años, al terminar esos dos años, la compañía te permitirá jubilarte con todo tu sueldo.

¡Emocionante!

Te apresuras a casa para comentar con tu esposa sobre ésta fantástica oferta. Y comienzas a trabajar la hora extra diariamente, por unos seis meses.

Entonces, estás en una fiesta. Algunos amigos se burlan de ti y dicen: –Hombre, mírate. Eres tan estúpido. Estás trabajado una hora extra gratis diariamente. La empresa está sacando ventaja de ti. Renuncia a ese horrible trabajo y consigue un empleo donde te paguen por todas las horas que trabajas.

¿Qué les dirías?

–No, no, no. No voy a renunciar a mi empleo. Sólo me faltan 18 meses más de trabajar una hora extra gratis todos los días, luego puedo renunciar y ¡retirarme para siempre!

Así que continúas trabajando la hora extra gratis por 18 meses. Sólo quedan seis meses más. Esa noche regresas a casa y tu esposa dice:

–¿Sabes qué, querido? Te extrañamos en la cena cuando trabajas esa hora extra. Renuncia a ese empleo, consigue otro donde puedas llegar a casa una hora antes para cenar.

¿Que dirías?

–Claro que no, sólo seis meses más y podré retirarme con todo mi sueldo.

Continúas trabajando esa hora extra gratis, durante los dos años completos, y la compañía te permite un retiro con todo tu sueldo.

¿No sería genial?

Ahora, desafortunadamente tu empleo no ofrece ese beneficio. **Pero nosotros sí.**

Cuando te unes a nuestro negocio de redes de mercadeo, vamos a pedirte que trabajes en tu nuevo negocio sólo una hora a diario, de lunes a viernes, **platicando con personas**.

Tu hora no será mover pixeles en una pantalla de computadora, no será jugando solitario toda la noche ni surfeando en internet... sino conversando con personas "en vivo".

Si platicas con personas "en vivo" durante sólo una hora a diario, de lunes a viernes, al finalizar los dos años, tendrás los suficientes clientes y distribuidores en tu equipo para igualar tu ingreso de tiempo completo y podrás retirarte con todo tu sueldo.

Ahora, sé lo que estás pensando. Tú piensas: –Bien, me encantaría que eso sucediera, me gustaría intentarlo, pero no se qué decir a las personas.

Bueno, por supuesto que no sabes qué decir a las personas. No has aprendido las habilidades aún, pero aprenderás sobre la marcha. Puedes aprender a hacer lo que sea, en una hora al día durante dos años, ¿no es así? Incluso podrías aprender a tocar el piano, practicando una hora por día durante dos años.

Así que posiblemente, la primera semana en el negocio, aprendas a decir: –Hola.

Durante la segunda semana, aprenderás a decir: –Mi nombre es ___.

Cada semana irás mejorando. Y al final de los dos años podrías retirarte con todo tu sueldo. ¿Qué piensas?

***

¿Qué piensas que dice la mayoría de las personas ante esta historia?

–¡Estoy dentro!

Ahora, haz una pausa durante un momento y piensa en esto. Los prospectos dirán: –Estoy dentro– y todavía no han escuchado el nombre de tu compañía.

Esto debe de probar a cualquiera que no se trata de la empresa, los productos, el plan de compensación, etc. Se trata de la historia que cuentas.

Pero esta historia hace mucho más.

Has mejorado a tu prospecto, de alguien que sólo quiere intentarlo con el negocio, o alguien que sólo quiere recuperar su dinero de la inversión inicial... ¡a alguien que está deseoso por trabajar durante dos años sin ningún pago! Vaya, ese sí que es un buen prospecto.

Por cierto, cuando este prospecto se afilia, probablemente reciba algunos cheques rápido. Recuerda, está esperando trabajar por dos años, gratis. ¿Qué le dirás cuando reciba su primer cheque?

Puedes decir: –Es un error, dame eso. Yo me encargo de devolverlo.– Sólo bromeo. Pero, ¿no sería ese primer cheque una sorpresa genial durante el camino de dos años de tu nuevo distribuidor?

¿Quieres otra pequeña historia para prospectos asustados?

Los nuevos prospectos temen afiliarse a nuestro negocio. ¿Con quién van a platicar? ¿Que va a suceder si las personas los rechazan o se burlan de ellos? ¿Qué tal si fracasan? ¿Qué dirán sus amigos si cometen un error?

El miedo a lo desconocido es enorme. Los prospectos quieren unirse a nuestro negocio, pero también quieren sentirse a salvo del fracaso.

Aquí está una historia que le hace saber a tu prospecto que está bien tener ese miedo y que tú lo ayudarás a ser exitoso.

El Gato y el Ratón.

En una ocasión, había una casa con muchos ratones. Estaban gordos y felices. Un día, un gato llegó a la casa. Los ratones hicieron una junta.

–¿Qué debemos de hacer? ¡El gato nos va a comer! Todos los días el gato nos sorprende por detrás y nos persigue de vuelta a la madriguera.

Finalmente, deciden una solución brillante. Colocarán una campana alrededor del cuello del gato, así que, cada vez que escuchen la campana, pueden correr de inmediato hasta la madriguera, antes de que al gato los devore.

Entonces un ratón dijo a los demás: –¡Esta solución es excelente! Colgar una campana alrededor del cuello del gato. Pero la verdadera pregunta es: ¿quién pondrá la campana en el cuello del gato?

La moraleja de la historia es que todos sabemos **qué** es lo que necesitamos hacer (afiliarnos y comenzar), pero hay un gran miedo al **hacerlo**.

Yo sé que quieres empezar y construir tu negocio. ¿Estaría bien si te apoyo a comenzar, colgando la campana en el cuello del gato y así podrás despedirte del miedo?

***

¿Cómo crees que tu prospecto se siente ahora? ¿Crees que se siente bien contigo, un profesional experimentado, prestando ayuda para que el nuevo prospecto comience y removiendo lo desconocido?

Pero también puedes usar la "Historia del Restaurante" para hacer que tu prospecto se sienta bien, y para asegurar ante tu prospecto que puede aprender el negocio sobre la marcha.

El Restaurante.

El prospecto tiene temor de afiliarse.

Él dijo: –Pero no sé cómo iniciar un negocio de redes de mercadeo. No sé nada sobre los productos, el plan de compensación es muy complicado de explicar, y no sé cómo hablar con personas. ¿Con quién hablo? ¡No sé cómo hacer esto!

El patrocinador tranquiliza a su prospecto:

–¿Sabes algo acerca de operar un restaurante?

–No.

El patrocinador continúa: –Digamos que deseas abrir tu propio restaurante, pero quieres ir despacio. No estás seguro de poder manejarlo, así que decides abrir sólo un día por semana, el viernes. No vas a tomar ningún riesgo. Tu restaurante será estrictamente de tiempo parcial, abrirá sólo dos horas, la tarde del viernes.

El prospecto temeroso responde: –Me sentiría más cómodo con eso.

El patrocinador continúa con su historia: –Para hacer el trabajo más fácil, sólo vas a permitir comensales con invitación. No quieres demasiados en tu primera noche. Yo te ayudaré con las primeras semanas.

–Hasta ahora, suena sencillo.– El prospecto temeroso comienza a relajarse poco a poco.

–Solamente invitaremos a cuatro amigos tuyos el día de la inauguración. Tu y yo prepararemos la comida. Si les agrada la comida, les pediremos que le digan a otros. ¿Cómo suena eso hasta el momento?

–Suena bien.– El prospecto temeroso comienza a interesarse.

–El próximo viernes, vamos a dejar que cada uno de nuestros cuatro amigos, traiga un nuevo comensal. Ahora tenemos 8 comensales. Tu y yo tenemos la experiencia de la semana previa, así que debemos de manejarlo un poco mejor, ¿cierto?

–Seguro. Las ocho personas no deberían ser problema para ti y para mí.– El prospecto ahora está tomando más confianza.

–Para el viernes que sigue, vamos a permitir que cada uno de nuestros ocho comensales traiga un invitado adicional. Ahora tendremos 16 comensales para atender. Todavía seguimos con nuestro plan de abrir sólo dos horas y mantener el negocio a tiempo parcial, así que quizá haya que expandirnos a otro día. No queremos más de 16 comensales a la vez.

–Tiene sentido.– El prospecto ahora sonríe.

–Vamos a expandirnos al martes. Contrataremos a nuestro comensal más entusiasmado como nuestro asistente y comenzaremos a darle entrenamiento para que haga lo mismo. Para asegurarnos que los viernes por la tarde se mantengan fáciles de operar, vamos a enviar a algunos de los comensales con nuestro asistente, quien hará el servicio los martes. Esto ayudará a que los martes comiencen como bomba.

El prospecto ha tomado el control: –Ya estoy viendo el panorama. Puedo aprender en el camino. Posiblemente mi negocio de redes de mercadeo no sean tan difícil si doy un paso a la vez. Afíliame. Vamos a invitar a mis cuatro comensales para la presentación del viernes por la tarde.

***

Así que, ¿por qué los prospectos no creen que pueden comenzar su propio negocio de tiempo parcial en redes mercadeo?

Estoy seguro que has escuchado a los prospectos decir:

–Oh, eso nunca funcionará.

¿Por qué nuestros prospectos dicen esto cuando presentamos una oportunidad de negocio? Por que han sido condicionados por:

* Sus padres, quienes les han dicho que consigan un buen trabajo para triunfar en la vida.

* Sus profesores, quienes les han dicho que obtengan buenas calificaciones para que puedan conseguir un buen empleo que valga la pena.

* Sus amistades, quienes les han dicho que deben encajar con el resto de la gente.

* Los reporteros de televisión y el periódico, quienes tienen empleos de tiempo completo.

La explicación más fácil es usando una historia.

La Historia de los Simios.

Comienza con una jaula con cinco simios. En la jaula, cuelga un plátano de un hilo y coloca una escalera debajo. Muy pronto, un simio comenzará a subir por la escalera buscando el plátano. Tan pronto como toque la escalera, rocía a todos los simios con agua fría.

Después de un rato, otro de los simios hace un intento con el mismo resultado – todos los simios son rociados con agua fría.

Desconecte el agua fría.

Después, si otro simio intenta subir la escalera, los demás simios tratarán de impedirlo, **incluso si ya no son rociados con agua**.

Ahora, retira a uno de los simios y reemplázalo con un simio nuevo.

El nuevo simio mira el plátano y quiere subir la escalera. Para su horror, todos los demás simios lo atacan.

Después de otro intento y golpiza, el nuevo simio sabe que si intenta subir la escalera, será apaleado.

A continuación, retira otro de los cinco simios originales y reemplázalo con un simio nuevo. El simio nuevo va directo a la escalera y es atacado. El primer simio nuevo, toma parte de la golpiza con entusiasmo. De nuevo, reemplaza un tercer simio original con uno nuevo. El nuevo, se dirige a la escalera y también es atacado.

Dos de los simios que lo golpearon no tienen idea de por qué no se les permite subir la escalera, ni el por qué están participando en la golpiza del nuevo simio.

Después de reemplazar al cuarto y quinto simio originales, todos los simios originales que fueron mojados con agua fría han sido reemplazados.

Sin embargo, ¡ninguno de los simios se aproxima a la escalera nunca más! ¿Por qué?

–Por que así han sido las cosas por aquí.

Sí, nuestros prospectos algunas veces utilizan este mismo pensamiento irracional para rechazar una oportunidad para cambiar sus vidas.

No Se Requieren Grandes Cheques Para Motivar A Las Personas A Afiliarse.

¿Crees que $300 al mes harían la diferencia en el estilo de vida de alguien? Seguramente. Incluso puede que tome menos que eso emocionar a alguien para unirse. Aquí hay un par de historias que usan proyecciones de ingreso bajas, con las que los prospectos pueden identificarse.

La Recompensa de $50.

Conozco una instancia donde un cheque mensual de $50 hizo toda la diferencia del mundo para un distribuidor. Desayuné con ese joven hace algunos años. Era un agricultor de vegetales de Missouri. Cuando llegó su cheque de $50 en el correo, estaba tan entusiasmado que no podía dejar de hablar de ello. No podía imaginarme por qué, así que le hice la pregunta: –¿Por qué toda esta emoción por un cheque de $50?– Me respondió: –Verás, yo soy agricultor. Después de todos mis gastos, me quedo como con $5 al mes que puedo decir que son míos. Eso es todo. Sólo $5. Bien, ahora tengo este cheque de $50, eso es 10 veces más dinero disponible del que normalmente tengo. Puedo llevar a mi familia al cine o salir a cenar. ¡Tengo una docena de opciones que nunca había tenido!

***

Me dejó pensando. Si tu empleo regular paga todos tus gastos del día a día, entonces el cheque mensual que recibes de tu negocio de tiempo parcial es "dinero para diversión". No lo tenías contemplado. Así que si recibes un cheque mensual extra de $500, ¡WOW! Puedes usarlo para las mensualidades de un auto nuevo. O para una casa más grande. O puedes tomar un crucero cada dos o tres meses. O ajustar un programa de inversiones y jubilarte más pronto. Usa tu imaginación. Hmmm. El dinero extra realmente significa mucho, una vez que tu salario cubre tus gastos diarios.

El problema de $100,000.

A veces, los cheques de tiempo parcial exceden tu salario de tiempo completo.

Mi buen amigo Tom, tenía un problema. Su empleo regular le generaba $50,000 por año. Después de trabajar su negocio de tiempo parcial durante tres años, su ingreso de redes de mercadeo se acercaba a los $100,000 al año. Ahora, yo no pienso que tuviese un problema, pero vino hacia mí con una expresión de preocupación y dijo: –Tom, estoy demasiado ocupado, temo que no puedo atender bien a ambos, mi empleo y mi negocio de medio tiempo, a menos que renuncie a uno de ellos. Me gusta prestar un buen servicio y hacer un trabajo de primera clase.

Bien, mi amigo tenía buenas habilidades de redes de mercadeo y su ingreso de tiempo parcial ciertamente era impresionante, pero realmente cuestioné su sentido de los negocios.

La dije: –Si estás generando el doble que tu sueldo con tu negocio de medio tiempo en redes de mercadeo, yo pienso que tendría sentido renunciar a tu empleo de tiempo completo y disfrutar tu ingreso de $100,000 de medio tiempo.

Estuvo de acuerdo conmigo. Ahora su ingreso de medio tiempo continúa aumentando y tiene tiempo de hacer ejercicio en un buen gimnasio, pasar más tiempo con su familia, platicar con sus amigos por teléfono, puede viajar, y sí, aún así tiene tiempo para hacer su negocio de redes de mercadeo.

***

Mientras que él pudo haber estado confundido originalmente sobre cuál carrera desechar, eso sólo demuestra que no se necesita ser físico nuclear para construir grandes ingresos en una red de mercadeo.

El Enfoque Conservador.

Otro amigo, Bob, usó una estrategia de inversiones conservadora para construir una fortuna a partir de un ingreso relativamente modesto de $500 de su negocio de redes de mercadeo.

¿Cómo lo hizo?

Él se dijo a sí mismo: –Mi sueldo mensual paga todas mis cuentas, así que sólo usaré mis $500 extra al mes para pagar más pronto el crédito de mi casa.– En sólo cuatro años su casa estaba completamente pagada. Ahora tenía $1,000 extra al mes debido a que no había más pagos sobre la casa, más el cheque adicional de $500 al mes por su negocio de redes de mercadeo.

Con $1,500 extra al mes para gastar, ¿dónde debería invertirlos?

Bob compró la casa de al lado. La renta de los inquilinos pagaba por las mensualidades. Bob invirtió los $1,500 extra de su flujo mensual para acelerar el pago de su nueva casa. En unos cinco años la casa de al lado estaba completamente libre de deudas.

Ahora la perspectiva financiera de Bob se veía de la siguiente manera. Su empleo regular pagaba todos sus gastos, además, tenía $1,000 libres al mes debido a que no tenía que pagar mensualidades sobre su casa. El ingreso de las rentas de la casa de al lado agregaba otros $1,000 adicionales a su flujo mensual. Y el cheque mensual de Bob seguía promediando unos $500 al mes. Así que, ¿qué fue lo que hizo Bob con ese flujo extra de $2,500?

Compró otra casa en la misma calle. La renta de los inquilinos pagaba las mensualidades, además Bob incorporó los $2,500 adicionales para recortar el tiempo.

Muy pronto, la situación financiera de Bob se veía así. Su empleo regular pagaba todos sus gastos, además, tenía $1,000 libres al mes debido a que no tenía que pagar mensualidades sobre su casa. El ingreso de las rentas de la casa de al lado agregaba otros $1,000 adicionales a su flujo mensual. El ingreso de las rentas de la casa sobre la misma calle agregaba otros $1,000 al mes. Y el cheque mensual de Bob seguía promediando unos $500 al mes. Así que, ¿qué fue lo que hizo Bob con ese flujo extra de $3,500?

Bueno, ya tienes la idea. Bob nunca ganó más de $500 en promedio con su negocio, aún así, el día de hoy vive seguro financieramente. Incluso si Bob pierde su empleo o su compañía de redes de mercadeo cierra operaciones, sus ingresos de rentas lo pueden mantener cómodamente. Al día de hoy, sus ingresos combinados suben a $5,000 nada más por el concepto de las rentas que recibe.

***

La Mayoría De Las Personas Hacen Redes De Mercadeo A Diario, Pero No Se Les Paga Por Ello.

Las redes de mercadeo se tratan de **recomendar** y promover las cosas que te gustan con otras personas.

Hacemos esta actividad casi a diario. ¡La construcción de redes es una habilidad natural que todos ya poseen! En las redes de mercadeo, simplemente cobramos ingresos residuales por hacer lo que hacemos todos los días.

¿Qué tal un par de ejemplos de la construcción de redes que hacemos a diario?

¡Mira esos dinosaurios!

Una de mis películas favoritas es **Parque Jurásico**. Esta película de 1993 fue una innovación con sus dinosaurios digitales que se veían tan reales. Creo que algunas otras personas también gustaron de la película, ya que es una de las películas mejor vendidas de todos los tiempos.

Imagina que estás sentado en la mesa del comedor, hablando con uno de tus amigos. Tu amigo dice:

–¿Redes de mercadeo? No sé nada de eso. Probablemente no podría hacerlo.

¿Por qué tu amigo diría eso?

Por que tu amigo no sabe realmente lo que son las redes de mercadeo. Tu amigo piensa que puede requerir de ventas, habilidades de presentación, conocer grandes cantidades de vendedores motivados, o algún otro concepto erróneo.

Tu amigo sólo está haciendo una decisión basada en hechos incorrectos.

Tu trabajo es dar a tu amigo los hechos reales sobre las redes de mercadeo.

Entonces tu amigo es libre de hacer una decisión de afiliarse, o no afiliarse, basado en información correcta.

Podrías usar la película de **Parque Jurásico** para ilustrar cómo funciona de verdad una red de mercadeo. La conversación puede ser algo como lo siguiente:

Tu: –¿Alguna vez viste la película de **Parque Jurásico**?

Amigo: –Sí, es genial.

Tu: –Cuando fuiste a verla, ¿pagaste por tu entrada y compraste algo para comer en la dulcería (a muy buen precio)?

Amigo: –Seguro que sí. De hecho las botanas fueron algo caras, pero me gustan mucho las palomitas.

Tu: –Después de ver la película, ¿la mantuviste en secreto? O, ¿le has dicho a algún amigo sobre ella?

Amigo: –Tan pronto como regresé a casa, hablé con mi hermana y le dije que ella y su esposo **tenían** que ver **Parque Jurásico**. ¡Está bue-ni-si-maa! El sonido Dolby hacía vibrar las butacas, como si los dinosaurios estuviesen caminando justo al lado tuyo.

Tu: –¿Tu hermana y su esposo fueron a ver **Parque Jurásico** gracias a tu recomendación?

Amigo: ¡Desde luego! Compraron su boleto para la función de esa misma tarde!

Tu: –Así que compraron sus boletos y probablemente algunas botanas también, ¿cierto?

Amigo: –Sí, y les fascinó la película. El esposo de mi hermana es abogado, así que a ella le encantó la parte cuando el dinosaurio se come al abogado mientras el abogado está en, bueno, está en el retrete.

Tu: –¿Tu hermana y su esposo comentaron con alguien acerca de **Parque Jurásico**?

Amigo: –¡Mi hermana no podía esperar! Le dijo a todo mundo en el trabajo, todas sus amigas en el vecindario, incluso a los niños en la escuela donde da clases. Su esposo le dijo a sus colegas abogados y todos fueron a ver la película también.

Tu: –Así que, todas estas personas pagaron su entrada y compraron sus botanas. Luego, ¿qué sucedió?

Amigo: –Pues yo creo que le dijeron a sus amigos acerca de **Parque Jurásico**. Es difícil mantener en secreto una película como esa. Es decir, los dinosaurios se ven reales. Nada como las marionetas tipo Godzilla. Esos dinosaurios de verdad se veían reales.

Tu: –Bien, eso que **hiciste** fue una red de mercadeo. Lo hacemos todos lo días. Las redes de mercadeo son sólo **recomendar** lo que nos gusta con las demás personas, usualmente nuestros amigos y conocidos.

Si lo que recomendamos parece interesante a nuestros amigos, puede que lo prueben. Nuestros amigos **no están obligados** a ver **Parque Jurásico**. Pueden tomar nuestra recomendación o ignorarla. Es cuestión de ellos.

Nosotros cumplimos con nuestra obligación, educarlos sobre esta opción que tienen disponible. La decisión de tomar ventaja de esta opción depende de ellos. Eso se llama hacer redes.

Amigo: –En ese caso sí, seguro, yo hago redes de mercadeo todos los días. Así que, ¿cual es el gran asunto sobre hacer redes?

Tu: –La mayoría de las personas hacen redes de mercadeo a diario. Pero no se les paga por ello.

Tomemos el ejemplo del cine con **Parque Jurásico**. El dueño del cine puede que haya pagado por publicidad en la radio y en el periódico. Sin embargo, este tipo de publicidad y promocionales no funciona muy bien. Estamos inundados con estos mensajes comerciales y los ignoramos. Además, no confiamos en esta publicidad.

No obstante, sí confiamos y respetamos a nuestros amigos. Cuando un amigo nos dice que una película en genial, lo escuchamos. Esa recomendación de boca a boca por parte de un amigo, vale diez veces más que un anuncio de radio.

Cuando el dueño del cine hace su corte mensual de ventas, se dará cuenta de que la mayoría de los asistentes llegaron debido a una recomendación de boca a boca.

Así que en un acto sincero de gratitud, el dueño del cine te enviará un cheque mensual por tu publicidad de boca a boca.

¿Por qué? Por que si no fuese por ti, toda esa gente extra nunca hubiese asistido a su cinema.

Amigo: –Nunca veré un cheque como ese en mi buzón. Los cines no funcionan de esa manera. Ellos se quedan con todos los ahorros por nuestra promoción de boca a boca, y nosotros trabajamos gratis. Así que, ¿cómo puedo cobrarlo?

Tu: –Algunas compañías se han dado cuenta de que la **recomendación** y promoción es más poderosa que cualquier presupuesto de publicidad. Estas compañías comercializan sus productos exclusivamente a través de publicidad de boca a boca.

No esperan que trabajemos gratis, así que estas compañías comparten su presupuesto de publicidad con nosotros al enviarnos un cheque mensual de bonificaciones por nuestros esfuerzos.

Yo siento que mientras estemos haciendo el trabajo de cualquier forma (recomendando y promoviendo), deberíamos de estar cobrando un cheque mensual por nuestro tiempo y esfuerzo.

Amigo: –¿Estás seguro que todos hacen redes de mercadeo todos los días?

Tu: –¡Absolutamente!

¿Alguna vez has recomendado un restaurante a un amigo? Tu amigo disfruta la comida y le dice a sus conocidos acerca de ese buen restaurante. El incremento en las ventas es bienvenido por el restaurante.

Tu hiciste el trabajo.

Tu **recomendaste** y **promoviste** el restaurante que te gusta. No obstante, **no recibiste** ningún pago por ello. La mayoría de los restaurantes no compartirán su presupuesto de publicidad. Tu haces el trabajo de promoción, gratis.

Tu recomendación fue más efectiva que los cupones para cenas de 2x1, publicidad en espectaculares y publicidad en periódicos. Las redes son la manera más efectiva de educar a otros prospectos acerca de productos y servicios.

¿Por qué? Por que las personas escuchan y confían en las opiniones de personas que conocen personalmente.

Si quisieras un cirujano cerebral para una operación importante, ¿cuál método usarías?

Método #1: ¿Buscarías para ver cuál cirujano tiene el anuncio más grande en la Sección Amarilla? ¿Escucharías el cirujano con el "jingle" publicitario más pegajoso de la radio?

Método #2: O, ¿buscarías a alguien que ya conoces, una persona que ha tenido una experiencia con un cirujano cerebral, y conseguirías su opinión? ¿Buscarías la opinión de algún paciente anterior, o posiblemente tu médico familiar?

Estoy seguro que usarías el método #2. Cuando se trata de cirugía cerebral, quieres una opinión en la que puedas confiar.

De nuevo, éste es un ejemplo de las redes. Tu amigo o médico familiar, libremente ofrece su opinión y **recomienda** un cirujano cerebral. Tu estás bajo ninguna obligación de usar su **recomendación**, pero al menos te has educado acerca de otra posible opción en tu proceso de tomar una decisión.

Amigo: –Oh, ya lo tengo. Como ya estoy recomendando y promoviendo cosas todos los días, mejor cobrar por ello, ¿cierto?

Así que, ¿cómo puedo cobrar?

***

Ahora tu prospecto no resiste la idea de las redes de mercadeo como algo extraño o inusual. Tu prospecto respeta las redes de mercadeo y desea saber cómo puede recolectar los cheques por sus esfuerzos.

Esta conversación es fácil. No amenaza a tu prospecto, y lo educa sobre cómo funcionan las redes.

Si tu prospecto es listo, rápidamente se dará cuenta de que hay dos tipos de personas en el mundo.

1. Las personas que hacen redes de mercadeo todos los días y reciben un pago por ello.

2. Las personas que hacen redes de mercadeo todos los días y no reciben un pago por ello. Estas personas insisten en hacer redes de mercado **gratis**, y está bien. Hace del mundo un lugar mejor.

¡Todos hacen redes de mercadeo todos los días!

Aquí tienes algunos ejemplos más:

* Recomendar una escuela para los niños.

* Recomendar una nueva página web.

* Recomendar un bar con una buena atmósfera.

* Recomendar una canción favorita o artista.

* Recomendar una cita a ciegas.

* Recomendar una marca de autos.

* Recomendar tu platillo favorito o una receta.

* Recomendar acciones o inversiones.

* Recomendar un abogado o un contador.

* Recomendar un dentista.

* Recomendar tu programa de televisión favorito.

* Recomendar un secreto para perder peso.

* Recomendar una buena tienda de ropa.

* Recomendar un templo.

* Recomendar nuevas amistades.

* Recomendar un programa de computadora.

* Recomendar un buen libro.

Estos son ejemplos de redes de mercadeo en acción. Tu **recomiendas** los productos y servicios que te gustan. El prospecto no tiene ninguna obligación de aceptar tus recomendaciones.

Tu trabajo es educar y presentar opciones adicionales al prospecto. Tu trabajo no es hacer una decisión por el prospecto. Ese es el derecho y la responsabilidad del prospecto.

Es tu responsabilidad dar al prospecto una oportunidad de aprender esta información.

Sin embargo, no eres el responsable de las decisiones que tus prospectos toman después de escuchar esta información.

Tu prospecto tiene muchas variables y situaciones en su vida que debe de balancear a la par de tus recomendaciones. Respeta eso.

El prospecto tomará una decisión basado en lo que esté sucediendo en su vida, así que no te ofendas si un prospecto usa un dentista diferente, por que su cuñado acaba de graduarse de la escuela de odontología. O, no lo tomes personal si el prospecto no va al restaurante que a ti te gusta. Puede que tenga gustos para la comida totalmente distintos a los tuyos.

¿Eres Una Estrella De Rock & Roll?

¿Escribiste el tema musical del cual el mundo no se puede resistir? Y debido a tus talentos musicales, ¿recibes mensualmente en tu correo un cheque de miles de dólares por las regalías musicales?

¿No? ¿No tienes talentos musicales? ¿No tienes habilidades para componer discos?

Bueno, ¿eres un novelista famoso?

¿Eres entrevistado en todos los shows de televisión? ¿Los publicistas se subastan cantidades récord de dinero para conseguir los derechos de tu próxima novela de misterio? Y, debido a tu cautivante talento, ¿recibes mensualmente miles de dólares en regalías por parte de tu publicista?

O, ¿eres dueño de un par de millones de dólares en bonos y acciones de alto grado? Y, ¿tu agente convenientemente te envía cada mes miles de dólares en un cheque de dividendos?

O, ¿has arreglado tu adopción por parte de una familia rica? Y esta familia, ¿te ha heredado un ingreso mensual de miles de dólares a través de sus muchos fondos de capital?

O, ¿acaso tienes que trabajar para ganarte la vida?

Si eres como la mayoría de las personas, tienes que trabajar para ganarte la vida. Si no trabajas, no se te paga.

¿Cuál es la diferencia en los ejemplos anteriores? Bien, si fueses una exitosa estrella de rock, un novelista, un rico inversionista, o un suertudo heredero, recibirías dinero cada mes incluso si no asistieras al trabajo. Eso se llama ingreso residual.

¿Qué es ingreso residual?

Es muy diferente al ingreso lineal, que es del tipo que la mayoría recibe. Verás, un ingreso lineal continúa sólo cuando continúas trabajando.

* Si eres un cirujano, recibes un pago si haces alguna cirugía. Si no haces ninguna cirugía, no te pagan.

* Si eres un trabajador de la construcción, recibes un pago cuando trabajas. Si decides no trabajar durante los próximos 12 meses, probablemente tu jefe no te pague.

* Si conduces un autobús, recibes un pago. Si renuncias a conducir el autobús, no te pagan.

Así es como funciona el ingreso **lineal**. Recibes ingresos de tu trabajo. Cuando dejas de trabajar, el ingreso deja de llegar.

El ingreso **residual** es diferente.

La mejor manera de describir el ingreso residual es cuando haces algo bien sólo una vez y recibes un pago una y otra y otra vez por lo que hiciste.

Así que, escribiste un éxito musical hace diez años. Cada vez que la tocan en la radio, en cualquier lugar del mundo, recibes un poco de regalías. Inclusive recibes un cheque de regalías por las personas que tocan tu canción. Lo hiciste bien una vez, y ahora estás cobrando cada mes.

Cuando escribiste esa novela tan exitosa, hace cinco años, finalizaste tu trabajo. Ahora, recibes un cheque mensual de regalías de parte de tu amigable publicista por las ventas que continúan efectuándose de tu libro. Lo hiciste bien una vez, y ahora recibes dinero cada mes.

Invertiste unos pocos millones de dólares que tenías por ahí tirados en tu cuenta de cheques, hace seis años, en acciones de alto grado y bonos. Ahora, cada mes esperas tus cheques de dividendos. Lo hiciste bien una vez, y ahora recibes dinero cada mes.

Telefoneaste a cada duque, reina, magnate de negocios, estrella millonaria del deporte hace veinte años y pediste que te adoptaran. Finalmente, uno de ellos aceptó tu propuesta. Cada mes, tu cheque de herencia te recuerda que tu campaña de adopción de hace veinte años, realmente pagó sus frutos. Lo hiciste bien una vez, y ahora recibes dinero cada mes.

El ingreso residual suena bien, ¿no es así? Desafortunadamente, la mayoría de las personas tienen problemas al desarrollar un ingreso residual.

¿Por qué? No podemos cantar o escribir música. No tenemos contactos con publicistas para nuestra gran novela. No tenemos unos pocos millones de dólares sentados en nuestra cuenta de cheques, esperando a ser invertidos. Y lo que es peor, no podemos encontrar ninguna persona rica con mala salud que esté listo para adoptarnos.

Sin embargo, hay esperanza.

Hay otra manera de desarrollar un ingreso residual. Hay una manera de conseguir cheques mensuales por miles de dólares para que podamos hacer las cosas que queremos hacer en la vida, para que podamos alcanzar nuestros sueños. Y lo que es mejor, casi todos pueden desarrollar este ingreso residual.

Decenas de miles de personas han desarrollado ingresos residuales vitalicios a través del poder de las redes de mercadeo. ¿Cómo?

Simplemente recomiendan con otras personas productos y servicios que les gustan. Cuando otros usan los productos y servicios, una pequeña regalía es pagada a la persona que hizo la recomendación.

Con el tiempo, esto se puede acumular y hacerse más y más grande cada mes. Para algunas personas, sus regalías por recomendaciones exceden sus ingresos de tiempo completo.

¿Por qué no recomendar algo ahora, y cobrar regalías año tras año, tras año?

¡No Puedo Encontrar Ningún Buen Prospecto!

Tu distribuidor se acerca y te dice: –Hablé con todos mis parientes y han dicho que no. Hablé con todos mis amigos y han dicho que no. ¿Me podrías ayudar a encontrar buenos prospectos por favor?

Bueno, tu querrás decir: –Si tus parientes y amigos detestaron lo que dijiste, a los desconocidos no les va a gustar tampoco. Ese no es el problema. Tienes que cambiar lo que dices.

Pero eso sería muy directo. En lugar de eso, podemos contar una historia. Probablemente quieras usar esta historia para que comprendan que no se trata de encontrar buenas personas, se trata de lo que decimos con las personas que encontramos.

¿Y cómo he aprendido esta lección personalmente? Déjame contarte la historia.

No Es Mi Culpa.

Cuando comencé, tenía un año y diez meses de fracaso total.

Invertí en un seminario para cambiar mi "suerte", y en el seminario me hicieron la siguiente pregunta:

_¿Big Al, por qué no puedes patrocinar a nadie?

Buena pregunta. Así que dije: –Bueno, estoy viviendo en Chicago ahora. Hay nieve en el suelo y estamos en invierno. No hay espacio para que las personas se estacionen en las juntas de oportunidad. Y ya viene diciembre, no habrá juntas de oportunidad. Nuestro producto es más caro que el de la competencia y las personas no pueden pagarlo. Están a punto de perder sus casas o están preocupados por sus empleos. La economía está muy mal. Las personas no quieren ser vendedores. Las juntas son demasiado lejos. Mi patrocinador no responde mis llamadas y...

Me interrumpieron: –Big Al, ¿hay otras personas en Chicago que reciben cheques?

Dije: –Sí. Algunos reciben cheques enormes. Yo trabajo diez veces más duro y no recibo nada. No es justo.

Y entonces me soltaron esta bomba: –Big Al, las personas que viven en Chicago y reciben cheques grandes, ¿tienen el mismo clima que tú?

Auch.

–¿La misma compañía?

Auch.

–¿Mismo producto?

Auch.

–¿Mismo precio en los productos?

Esto estaba comenzando a doler.

–¿Mismo territorio?

Gruñí.

–¿Mismos prospectos?

Esto era brutal.

Todo era exactamente, ciento por ciento, lo mismo, entre las personas que recibían cheques grandes y yo, que no tenía nada, excepto una cosa.

Cuando las personas que recibían grandes cheques hablaban con las mismas personas con las que yo hablaba, ellos simplemente elegían una secuencia de palabras diferente. Simplemente cambiaban las palabras que decían, y todo cambiaba.

Ahora, mi madre no me dejó caer de cabeza. No estoy estúpido. Dije: –Voy a pararme alrededor de las personas que hacen cheques grandes y escucharé lo que dicen e intentaré usar sus palabras.

60 días después, tenía un ingreso de tiempo completo, sólo por cambiar las palabras que decía.

***

Esta pequeña historia sobre lo que me sucedió motiva al nuevo distribuidor a dejar de buscar prospectos pre-calificados para arruinarlos.

Les dejo saber a los nuevos distribuidores que pueden tener un rápido éxito moderado en su carrera, al simplemente aprender primeras frases entrenadas, probadas y con habilidades. No necesitan dominar todo de inmediato, pero deben de iniciar correctamente sus conversaciones con los prospectos.

Así que, ¿cómo los motivo a que se tomen el tiempo de aprender sus primeras frases geniales? Con una historia, por supuesto.

En un entrenamiento de inicio rápido para nuevos distribuidores, esta es la historia que utilizo.

La Propuesta De Matrimonio.

¿Cuántas personas han estado casadas? Bien, tú sabes que debes de tener una presentación exitosa de la propuesta... o, no te casarás.

Digamos que un joven quiere casarse con una chica. Se arrodilla, toma su mano entre las suyas, la mira amorosamente a los ojos, y mientras cruzan miradas, su primera frase es esta:

–Si te casas conmigo, todos los martes por la noche, te llevaré al parque a caminar bajo la luna, todos los viernes por la noche, cenaremos a la luz de las velas, y todos los domingos por la noche, sacaré la basura y seré un buen hombre de familia,

Si a la chica le gusta el joven, ella probablemente dirá: –Sí.

¿Por qué? Por que tiene una primera frase genial.

Ahora, ¿el joven tendrá errores durante los próximos 30, 40, 50 años? Totalmente. Pero debido a que su primera frase fue tan buena, ella va a perdonar sus errores por el resto de su vida.

Ahora hagamos otra propuesta.

El joven se arrodilla, toma su mano entre las suyas, la mira amorosamente a los ojos, y mientras cruzan miradas, su primera frase es esta:

–Si te casas conmigo, te puedes quedar con el anillo.

Auch. Déjame preguntar a las damas aquí. ¿Cuáles son las posibilidades de que éste matrimonio suceda? Pocas o ninguna. (Algunas mujeres quisieran saber el tamaño del anillo antes de tomar su decisión final)

La mayoría de las damas pensaría: –Oh no, qué tacaño. ¿De verdad querría casarme con alguien así?

Es el final.

No importa lo que diga el joven después de su primera frase, se acabó. Puede hacer trucos mágicos 3D con cartas, mostrar fotos de su infancia y no hará ninguna diferencia, debido a que la primera frase fue mala.

Y eso es exactamente lo que pasa cuando hablamos con un prospecto. Si nuestra primera frase es mala, nuestro prospecto no nos va a escuchar, no tendrá una mente abierta, no escuchará nuestros datos, y nuestro prospecto no se unirá con nosotros.

***

No importa que tan sofisticada o impresionante sea nuestra presentación, si nuestra primera frase es mala, estamos muertos.

La Credibilidad Construye Confianza.

Nuestros prospectos quieren lo que estamos ofreciendo, pero muchas veces lo describimos pobremente y el prospecto rechaza lo que hemos descrito.

Lo que más importa es cómo describes y cuentas tu historia. Los prospectos no comprenden el negocio y todos sus detalles antes de comenzar su nuevo negocio. Simplemente comprenden la historia que describes.

Así que pregúntate: –¿Qué tan buena es la historia que cuento a los prospectos?

Y, por supuesto, eso me recuerda otra historia.

Demasiado Bueno Para Ser Verdad.

Un empresario de redes de mercadeo muere y llega a las puertas del cielo. San Pedro lo recibe en la puerta dorada y dice:

–Ven a mi oficina y toma asiento, ahora tenemos un nuevo programa. Nuestro nuevo programa es que tienes una opción.

El hombre responde: –Suena genial. Cuéntame.

San Pedro continúa: –Bien, en nuestro nuevo programa puedes subir al cielo, pero si lo prefieres, puedes bajar al otro lugar.

El hombre hizo una pausa y dijo: –Bueno, soy del tipo de los que gusta de revisar las cosas. ¿Estaría bien si echo un vistazo a los dos lugares? Ciertamente no me gustaría tomar una decisión sin conocer todos los datos.

San Pedro accedió, subió al cielo con el hombre y le mostró el lugar durante un rato.

–Hey, está muy bien acá arriba.– Comentó el hombre. –Es tranquilo, sereno y muy pacífico. Pero tú sabes, soy un tipo muy activo, ¿te importaría si doy un vistazo al otro lugar?

–No hay problema.– Dijo San Pedro. Los dos bajaron al "otro lugar" y abrieron las puertas. Las luces parpadeaban, la música retumbaba, gente bebiendo y bailando y teniendo todo tipo de diversiones.

–No lo puedo creer. ¡Nunca pensé que sería así! Tú sabes, yo era un tipo fiestero allá en la tierra. ¡De verdad me gusta esto!

San Pedro sonrió y dijo: –Está bien, regresemos a mi oficina, es tiempo de que tomes tu decisión.

El hombre regresó con San Pedro a su oficina, tomó asiento y dijo: –Bueno, el cielo estaba muy bien. Bonito y tranquilo, pacífico y sereno. Pero tú sabes, allá en la tierra yo era un parrandero. Nunca esperé que el "otro lugar" fuese así. Honestamente voy a decidirme por el "otro lugar" de allá abajo.

San Pedro respondió: –Nosotros respetamos tu decisión. Vayamos abajo.

Bajaron de nuevo, abrieron la puerta, pero esta vez las flamas rugían. San Pedro empujó al hombre dentro y dio un fuerte portazo. Un tipo grande tomó al hombre y gritó: –¡Toma esta pala, comienza a palear carbón!

Después de veinte minutos de palear carbón dentro de un horno, el hombre se detuvo, se miró a sí mismo. Estaba sucio, acalorado y sudoroso. Miró al tipo que le dio la pala y le dijo: –No entiendo qué sucede. Hace unos momentos que bajé, había música, bebidas y baile. Todo era genial. ¿¿¿Qué sucedió???

El tipo volteó con el hombre y dijo: –Ah, sí… bueno, ¡esa era nuestra junta de oportunidad!

***

Los prospectos de hoy son sofisticados. Son listos y pueden oler el sensacionalismo y la exageración. Si vendemos de más nuestra oportunidad, perderemos credibilidad con nuestros distribuidores potenciales. Nuestros prospectos vienen a una junta de oportunidad para escuchar una evaluación justa sobre una oportunidad de negocio. No vienen a escuchar un rally de motivación de un sólo carril, que más bien roza con una atmósfera carnavalesca. Y si vendemos de más en nuestra junta de oportunidad, nuestros prospectos tendrán falsas expectativas muy altas, y luego renunciarán rápidamente cuando dichas expectativas no se cumplan.

Ponte en los zapatos de un prospecto. ¿Cómo te sentirías si la audiencia aplaude cada frase del presentador? Sentirías que estás sentado en un infomercial.

No te unirías por que estarías sintiendo que necesitas escuchar el otro lado de la historia.

¿O qué pasaría si te afiliaras? En unos cuantos días, la realidad te golpearía directo en el rostro. Cuando experimentes el trabajo duro que toma alcanzar esos fantásticos ingresos que te prometieron, te sentirías engañado y con resentimientos. No es una buena actitud para el éxito.

¿Puedes evitar vender de más y aún así obtener resultados? ¡Sí! Puedes experimentar inclusive mejores resultados si practicas un poco menos de ventas en tu presentación. Entonces tu prospecto mentalmente agregaría más valor a lo que dices.

Vender menos construye credibilidad. La credibilidad construye confianza. ¿El patrocinar no se trata de eso?

Como empresario, la confianza es más importante que el mercadeo. ¿Por qué?

Inclusive si tu mensaje de mercadeo es genial, si no tienes la confianza de tus prospectos, no creerán nada de tu genial mensaje de mercadeo.

Para conseguir que tu nuevo distribuidor comprenda el valor de crear confianza, puedes contar esta corta y divertida historia.

Construyendo Confianza.

Un distribuidor murió y llegó al cielo. Al llegar al portón dorado, San Pedro dice: –Pasa. Te daré un recorrido. Te va a gustar el lugar.

Al cruzar las puertas, el distribuidor notó relojes por todas partes. Había relojes de abuelo, relojes de pared, relojes de pulsera y relojes en todas las esquinas. Parecía que el cielo no era nada más que una gran bodega de relojes.

Sorprendido por la apariencia del cielo, el distribuidor preguntó:

–San Pedro, ¿de qué se trata? ¿Por qué tantos relojes aquí en el cielo?

San Pedro contestó: –Los relojes son para mantener el ritmo de las cosas en la tierra. Hay un reloj por cada persona. Cada vez que una persona dice una mentira, su reloj se mueve un minuto.

Por ejemplo, este reloj es para Sam, el vendedor de autos usados. Si lo miras detenidamente, se moverá.

"Clic" El minutero en el reloj de Sam se movió un minuto. "Clic" Se movió otro minuto. –Sam debe de estar haciendo un cierre con un cliente en este momento.– Dijo San Pedro. –El minutero del reloj de Sam se mueve todo el día.

El distribuidor y San Pedro continuaron caminando. Pronto, llegaron a un reloj que tenía telarañas en las manecillas. –¿A quién pertenece este reloj?– preguntó el distribuidor.

–Ese reloj pertenece a la viuda Mary. Ella es una de las personas más finas y temerosas de Dios que hay en la tierra. Creo que su reloj no se ha movido en un año o dos.

Continuaron caminando y recorriendo por el cielo. El distribuidor disfrutó mirando todos los relojes de sus amigos. Cuando el recorrido terminó, el distribuidor dijo: –He visto los relojes de todos, excepto el reloj de mi inútil patrocinador. ¿Dónde está el suyo?

San Pedro sonrió: –Mira hacia arriba. Usamos su reloj como ventilador de techo.

***

¿Cómo perciben tus clientes, prospectos y distribuidores la credibilidad de tu nuevo distribuidor? ¿Es conocido como alguien honesto? O, ¿lo consideran como sólo un vendedor que exagera los datos para hacer una venta?

La confianza es lo que construye negocios de largo plazo.

Pensando Como Una Persona De Negocios, No Como Empleado.

Tus nuevos distribuidores tienen empleos. Piensan como empleados y tratan de llevar su negocio de redes de mercadeo... como un empleo. No comprenden lo que requiere el llevar un negocio.

Pero quizá sea mejor si lo describo usando una historia.

No Hay Cheque.

Te contratan en un nuevo empleo. Para impresionar a tu jefe trabajas duro todos los días. Al final de mes vas al departamento de contabilidad para recoger tu cheque, y te dicen: –Lo siento, no hay cheque, apenas comenzaste este mes.

Piensas: –Hmmm, está bien. Probablemente pagan con un mes de retraso.– Continúas trabajando duro por otro mes en tu empleo.

Ahora, al final del segundo mes, vas por tu cheque y te dicen: –No, este mes no hay cheque para ti.

¿Cómo te sientes? ¿Qué harías?

Bueno, ya tienes este empleo, y te tomaría mucho tiempo encontrar un nuevo empleo, así que trabajas duro de nuevo durante un mes. Esta vez vas por tu cheque y te dicen: –Lo siento, no hay cheque.

¿Que harías ahora?

¡¡¡Renunciar!!!

Si trabajas en tu empleo y no te pagan, renuncias. Así funciona.

***

Ahora, ese tipo de mentalidad es la que tu nuevo distribuidor trae a su negocio de redes de mercadeo. A menos que se prepare, por ti, el patrocinador, renunciará si no gana un cheque pronto.

Debes de enseñar a tu nuevo distribuidor la diferencia entre construir un negocio que pagará para siempre, y trabajar en un empleo que sólo paga por las horas trabajadas.

Aquí está una simple historia que muestra el por qué la mayoría de los negocios toma tiempo para construir.

El Casino.

Digamos que Donald Trump quiere construir un casino en tu ciudad.

El primer año lo pasa buscando una ubicación y asegurando el área de construcción. Después, Donald crea una campaña de relaciones públicas sobre el casino y los empleos que creará para que los residentes locales apoyen el proyecto en lugar de oponerse a la construcción.

Después de una campaña exitosa de relaciones públicas, Donald comienza a negociar con el gobierno local para los permisos, licencias y aprobación para la construcción. Después de doce meses de negociaciones y audiencias, el proyecto para el casino es aprobado por el consejo de la ciudad.

Se lanza el concurso para conseguir los contratistas de la construcción del casino. Después de revisar las propuestas, la construcción puede comenzar.

Primero, se cava un agujero gigante en el suelo para la cimentación del mega-casino. Tres meses de excavaciones crean un gran agujero.

Donald llega al día siguiente para revisar su progreso. Se acerca al gran agujero en el suelo, mira hacia abajo y dice: –Renuncio. ¡He pasado tres años en este proyecto y no he ganado un centavo todavía!

¿De verdad crees que Donald diría eso? Por supuesto que no. Es un empresario exitoso. Él sabe que primero debe de construir el casino antes de que pueda ganar dinero.

Así que Donald termina el proyecto del casino y no ha ganado un centavo todavía.

Una vez que está terminado el casino, es un enorme generador de dinero. El dinero y las ganancias llegan día tras día tras día por años y años y años.

Eso es un negocio. Inviertes tiempo, dinero, y energía ahora, y recibes un pago perpetuo posteriormente.

Así es como funciona nuestro negocio de redes de mercadeo. Necesitamos trabajar duro ahora para conseguir clientes y distribuidores, y después podemos disfrutar los bonos en efectivo, mes tras mes tras mes. Somos personas de negocios ahora, no empleados.

***

La mayoría de los prospectos tiene miedo al fracaso. Aquí está una historia para que sepan que está bien el fracasar en los negocios.

Comienza a Fracasar Ahora.

Un joven quería saber el secreto del éxito. Su negocio acababa de fracasar recientemente. Su esposa, parientes y cuñados suplicaban por que dejara de soñar y que consiguiera un buen empleo de 9 a 5.

El joven hizo una cita con el hombre más rico de su ciudad. –Por favor, por favor dígame el secreto de su éxito. ¿Es algún talento especial? ¿Algún conocimiento? ¿Que fue lo que lo hizo exitoso?

El hombre rico sonrió. –Déjame contarte una historia.

–La primera vez que intenté poner un negocio por mi cuenta, fracasé miserablemente. En mi segundo negocio fracasé antes de comenzar. El tercer negocio lo administré mal. Pensé que necesitaba un índice de éxito de 50% para lograrlo. Me equivoqué.

El joven preguntó: –¿Significa que tengo que tener un índice de éxito mejor que el 50%?

–No,– continuó el hombre rico, –difícilmente tienes que estar en lo correcto. Yo fracasé en 19 negocios consecutivos. En promedio, perdí $1,000 por intento, un total de $19,000. En mi veinteavo intento, tuve éxito en mi primer negocio. Las ganancias en el primer año fueron más de $100,000. Así que verás, yo perdí $19,000 en 19 errores, e hice $100,000 en mi primer éxito. ¡Puedes estar equivocado 19 de cada 20 veces y aún así tener éxito!

El joven sonrió. –No tienes que ser listo, con mucho conocimiento o talentoso para tener éxito. Sólo tienes que ser persistente. Puedes estar equivocado 95% del tiempo y aún así, eso no te privará del éxito.

***

¿Tienes distribuidores quienes renuncian al primer desaliento? ¿Tus amigos y parientes te desaniman de intentarlo de nuevo?

Ten coraje. No renuncies. Sólo tienes que tener un éxito. Cuando eres rico y famoso, todos olvidan tus 19 errores. ¿Por qué? Tus 19 errores no importan siempre y cuando continúes por alcanzar tu éxito.

Si nunca haces nada, no cometerás errores. ¿Es eso lo que quieres para tu vida? Por supuesto que no. Comienza ahora y haz algunos errores para que el éxito llegue a tu camino.

Tiene sentido hacer que nuestros nuevos distribuidores asistan a entrenamientos para que aprendan a pensar como empresarios. Pero, ¿qué tal si no desean asistir a los entrenamientos? Entonces, intenta con esta historia.

El Leñador.

Un leñador experimentado pasó al lado de uno de los nuevos reclutas. El nuevo recluta estaba dando hachazos violentamente en un árbol grande, pero sólo podía rasguñar la corteza. Viendo el trabajo tan duro y el esfuerzo desperdiciado, el leñador experimentado dijo: – Hey, ¿por qué no afilas tu hacha? Te hará mucho más eficiente.

El nuevo recluta respondió: –No. No puedo tomarme el tiempo de afilar mi hacha. Estoy ocupado tratando de cortar este árbol.

***

Muchos nuevos distribuidores sufren del síndrome del “hacha sin filo”. Ellos fijan metas, trabajan duro, pero nunca alcanzan el éxito que desean. ¿Por qué? Por que nunca se toman el tiempo de afilar su “hacha” al aprender nuevas habilidades efectivas. Estos distribuidores desperdician esfuerzo, desperdician recursos, y desperdician sus carreras. Ellos sólo necesitan tomar un poco de tiempo de su inútil frenesí para aprender las habilidades que les servirán para toda la vida.

Como experto en redes de mercadeo, Tom Paredes dice: –Necesitas entrenamiento incluso si consigues un empleo en McDonald's volteando hamburguesas. Así que, ¿por qué no esperar el invertir un poco de tiempo y esfuerzo al aprender nuevas habilidades para una carrera en redes de mercadeo?

¿Qué pasa cuando los nuevos distribuidores desinformados se aventuran dentro de las redes de mercadeo? Regresemos a nuestro nuevo leñador.

La historia continúa...

Parece ser que el nuevo leñador finalmente se cansó de golpear su hacha sin filo contra el árbol. En su desesperación, fue al pueblo a la tienda de herramientas. El gerente de la tienda dijo: –Sí. Tu hacha no tiene nada de filo. Pero, si yo fuera tú, no afilaría mi hacha. Hay una nueva manera de cortar arboles que es mucho mejor que un hacha afilada. Se llama moto-sierra.

–Sólo déme la moto-sierra y me largo.– dijo el leñador novato. Tomó la moto-sierra y desapareció entre el bosque.

Dos días después el nuevo leñador regresó a la tienda de herramientas. Estaba sudado, tenía ampollas en las manos y se veía muy deprimido. Encontró al gerente de la tienda y dijo: –Hey, tú. Tú me vendiste esta moto-sierra y me prometiste mejores resultados. ¡He estado como esclavo en el bosque durante dos días y no he terminado de cortar mi primer árbol!

El gerente de la tienda respondió: –Bien, hijo, pásame esa moto-sierra y déjame ver cuál es el problema.– El gerente examinó la moto-sierra y vio que no tenía nada mal. Entonces sujetó el cordón de arranque y le dio un fuerte jalón.

"¡B-b-b-b-b-b-r-r-r-r-r-r-r-r-o-o-o-o-o-o-o-o-o-o-o-m-m-m-m!"

La moto-sierra sacó algo de humo y comenzó a funcionar.

–¡Hey! ¿Qué es ese ruido?– el nuevo leñador exclamó.

Parece que el nuevo leñador nunca se tomó el tiempo de aprender las especificaciones o inclusive cómo usar su nueva herramienta.

***

Lo mismo pasa en las redes de mercadeo. Uno no debe sólo de adquirir nuevas herramientas, sino también el conocimiento de cómo utilizarlas. Y, en estas prisas, con esta sociedad apresurada, tomará algo de disciplina e inversión de tiempo el perfeccionar nuestras nuevas habilidades de construcción de negocios.

¿La recompensa? Casi todo lo que desees. Todo lo que debes de hacer es estar dispuesto al cambio. Después de todo, Miguel Ángel cambió de pintar pisos a pintar techos cuando consiguió el trabajo de la Capilla Sixtina. Las mismas oportunidades te esperan con tus nuevas habilidades de redes de mercadeo.

¿Pero qué tal si tu nuevo distribuidor hace justo lo contrario? ¿Qué tal si tu nuevo distribuidor pasa todo su tiempo en entrenamiento, y nunca sale a la calles para comenzar su negocio? ¿Necesitas una historia para contarle a este distribuidor?

Más Peligros del Sobre-entrenamiento.

Un hombre de mediana edad ha trabajado como conserje de la escuela por 25 años. Hoy, el superintendente de la escuela lo llamó a su oficina.

–He visto tu solicitud original de hace 25 años. Dice aquí que nunca fuiste a la universidad. ¿Es correcto?

El conserje respondió, –Es correcto. Nunca asistí a la universidad.

–Tu solicitud no muestra que te hayas graduado de la preparatoria. ¿Fuiste a la preparatoria?

–No. Nunca asistí a la preparatoria.

–Lamento decirte esto, pero el consejo escolar tiene nuevas políticas. Todos los empleados escolares deben de tener por lo menos un diploma de preparatoria. Por los últimos 25 años has desempeñado un trabajo excepcional, pero tengo que dejarte ir. Reglas son reglas.

El conserje dio la vuelta sobre su trapeador y se fue a casa. –¿Qué puedo hacer? He sido conserje toda mi vida. Quizá puedo comenzar mi propio negocio de conserjería.

La primera compañía a la que contactó, dijo: –Seguro, puedes hacer la limpieza aquí. Recuerdo cómo hacías un gran trabajo en la escuela.

La próxima compañía dijo lo mismo. Pronto, el conserje tenía más edificios para limpiar de los que podía manejar personalmente. Contrató un asistente.

El negocio continuó creciendo. Pronto el conserje contrató más empleados. Sus clientes estaban tan felices con su trabajo, que le dieron contratos adicionales de construcciones pequeñas.

Después de un par de años, el conserje se hizo de una fortuna. Tenía docenas de empleados, camionetas, equipos, y una cuenta de banco de seis cifras.

Entonces, un día recibió una carta por parte de su banco para una cita. El vicepresidente dio la bienvenida al conserje y dijo: –Es un placer tenerlo de visita en nuestro banco. Nunca lo hemos visto por aquí. Sus empleados siempre hacen sus depósitos. Revisamos nuestros registros pasados y encontramos que usted nunca firmó la tarjeta de firmas para abrir su cuenta. ¿Podría firmarla por nosotros ahora, para mantener nuestros registros en orden?

El conserje respondió: –No sé cómo escribir. Verá, nunca fui a la escuela. ¿Estaría bien una "X"?

–Seguro. No hay problema.– El banquero no quería ofender a su cliente más grande. –¡Es maravilloso! Aquí está usted, un conserje, que ha tenido éxito en los negocios y se convirtió en nuestra cuenta más grande. Sólo piense, ¡lo que hubiese podido lograr con educación!

-¡¿Qué?!– dijo el conserje. –¡Si tuviese educación, seguiría siendo un conserje!

***

Algunas veces la acción es mejor que cualquier otra solución.

Y hablando de negocios, ¿tu nuevo distribuidor fijará metas?

Si fija sus metas, ¿serán específicas… o sólo vagas generalidades que representan deseos y esperanzas?

Si deseas que tu nuevo distribuidor fije metas específicas, aquí está una historia para imprimir la importancia de ser específico.

Las Metas Deben Ser Específicas.

Una vez, una joven visitó una tienda de antigüedades. Mientras buscaba, notó un hermoso espejo. Cuando supo que el precio era de $5,000, la joven replicó: –¿Cómo puede ser que este espejo, aún así de hermoso, pueda costar $5,000?

El dueño de la tienda respondió: –Éste es un espejo mágico. Mira en el espejo, pide un deseo, y tu deseo se hará realidad.

Satisfecha, la joven tomó el espejo mágico y lo llevó a casa. Con orgullo, mostró su compra a su esposo.

-¡$5,000 por un espejo! ¡Debes estar loca!– gritó el esposo. –Veamos una demostración de tu estúpido espejo.

La joven se puso de pie frente al espejo y dijo: –Espejito, espejito. Deseo un hermoso y largo abrigo de mink.– Instantáneamente, ¡un hermoso y largo abrigo de mink apareció sobre sus hombros! Ella volteó a ver a su esposo, le guiñó el ojo, y salió corriendo a mostrarle a los vecinos el abrigo nuevo.

El esposo miró alrededor para asegurarse que nadie lo viera. Se puso de pie frente al espejo y dijo: –Espejito, espejito. ¡Hazme irresistible a las mujeres!

Instantáneamente, el espejo lo convirtió en una botella de perfume.

***

Cuando los distribuidores se quejan de no ganar suficiente dinero de inmediato, les cuento la historia de lo que me ocurrió en Hawai.

Una Buena Inversión Vale Una Vida Entera de Trabajo Duro.

Cuando estaba en el crucero Norwegian Star, me senté en la mesa, frente a un hombre muy, muy viejo. Me contó su historia de vida en un minuto más o menos. Esto es lo que me dijo:

–Me mudé a California en 1939 y comencé un banco con un par de amigos. California creció, así que nuestro banco creció también. Eventualmente nos convertimos en el cuarto banco más grande de California. Un banco más grande nos compró y ganamos millones de dólares con la venta.

Y, jovencito, esto es lo que aprendí. Que una buena inversión vale una vida entera de trabajo duro.

Y entonces pensé: –Y si no tenemos una buena inversión, ¡estamos sentenciados a una vida entera de trabajo duro!

Todos conocemos a alguien que compró una casa barata en la costa y 30 años después la vendió por un millón de dólares. O, conocemos a alguien que invirtió en acciones de Apple hace 20 años.

Hay varios casos de estudio de individuos que hicieron una inversión, y esa inversión les ganó más dinero del que nunca ganaron en sus empleos.

Todos quieren tener una gran inversión pero aquí están las excusas que escucho.

* No tengo dinero para invertir en acciones.

* Tengo miedo de sacar dinero de nuestra cuenta de ahorros por que puedo perder mi inversión.

* Los bienes raíces son muy caros, no puedo costear el comprar una propiedad.

* No sé que inversiones hacer. Nunca lo he hecho antes y tengo miedo de tomar el riesgo.

Bueno, todas estas excusas funcionan. La gente ni si quiera trata de conseguir alguna buena inversión.

Pero podemos cambiar eso. Con las redes de mercadeo, todo lo que tiene que invertir la gente es tiempo en su negocio. Y si tienen seriedad, pueden costear el invertir un poco de tiempo.

Eso significa poco o nulo riesgo financiero.

Ahora no hay excusas para no tener una inversión que pueda recompensarnos muy bien.

***

Sólo piensa en esto. Quizá tus distribuidores se quejen de que no han ganado dinero aún. Puede ser verdad. Pero, hay una posibilidad de que puedan encontrar una buena persona quien les genere $1,000 al mes, cada mes por el resto de sus vidas.

Ahora, esa es una buena inversión, ¿cierto?

Trata de usar este principio para mantener a tus distribuidores "en el juego". Después de todo, si renuncian, no hay oportunidad de que su inversión les recompense jamás.

¿Y qué tal si nuestro nuevo distribuidor fuese tímido? ¿Podría nuestro nuevo distribuidor contar esta "historia del crucero" una vez al día? La historia sólo toma un minuto, y es sólo una historia. No hay rechazo.

Tu nuevo distribuidor podría decir: –¿Quieres escuchar una historia rápida sobre lo que pasó en un crucero?

La mayoría de los prospectos diría que sí.

Ahora, si nuestro nuevo distribuidor invirtiera un minuto al día contando esta historia (puede ser durante un café), e hiciera esto durante un mes, 30 prospectos habrían escuchado la historia.

De esos 30 prospectos, algunos podrían decir: –Hey, tienes razón. Necesito una buena inversión.– Digamos que sólo el 10% dijera eso. Eso significaría patrocinar tres nuevos distribuidores por mes, sólo con ésta historia.

¿Y las 27 personas que escucharon la historia y no vieron cómo puede cambiar su vida? Quizá estaban teniendo un mal "día de café". Podrían decir: –Buena historia.– y la vida continúa.

Tres nuevos distribuidores patrocinados por mes. Una pequeña historia. ¿Es mejor de lo que tus distribuidores están haciendo actualmente?

Y mientras estamos en el tema de cómo encontrar buenos distribuidores que tomen acción:

Las personalidades "azules" son contadores de historias natos. Ellos cuentan historias todo el día. Y todo por que les gusta hablar, algunas de sus historias siguen y siguen y siguen.

A estas personalidades "azules" les encanta conocer nuevas personas y hablarán con todos, en todas partes.

Para localizar una personalidad "azul", simplemente dile esto a cualquier prospecto o a alguien dispuesto a darte referidos:

–¿A quién conoces que sea bueno contando historias?

Es fácil para alguien darte una referencia de alguien que sea bueno contando historias. No se requiere labor de venta.

Cuando llegues con la personalidad "azul", el contador de historias nato, dile esto:

–Hay dos tipos de personas en el mundo. Aquellos que cuentan historias, y aquellos que les pagan por contar historias.

Y entonces guarda silencio. El resto depende del prospecto. La personalidad "azul" o lo entiende o no lo entiende. Es así de simple.

Ahora recuerda, las personalidades "azules" son geniales para conocer nuevas personas, pero terribles en el seguimiento. Tendrás que ayudar un poco aquí.

El Principio De Notificación.

La primera prioridad de los nuevos distribuidores es evitar el rechazo. ¿Pero qué hacemos nosotros como patrocinadores?

Les decimos que hagan una lista, llamen a todos sus amigos, para que les den una paliza, los humillen y avergüencen.

¿Por qué sucede esto?

Debido a que nuestro nuevo distribuidor no sabe todavía exactamente qué decir y exactamente qué hacer. Nuestro nuevo distribuidor no ha tenido el tiempo de comenzar a aprender las habilidades necesarias en su negocio de redes de mercadeo. Así que por supuesto los parientes y amigos escucharán una nerviosa invitación de un nuevo distribuidor sin entrenamiento e inseguro. Es una receta para el desastre.

Nuestro nuevo distribuidor tratará de vender, forzar, manipular y engatusar a sus contactos para que vengan a una junta, se afilien al negocio, compren algo de producto. Y cuando tratas de vender lo que sea, hay un gran riesgo de que la gente diga: –No.

Veamos lo que sucede en el mundo real.

¡Estás extasiado! Tu nuevo distribuidor ha firmado el papeleo, lo ha enviado a la compañía, y ahora está esperando que llegue su paquete de distribuidor y sus productos.

Como patrocinador bien entrenado, has organizado un entrenamiento de "Cómo Iniciar" dentro de las primeras 48 horas de la carrera de tu nuevo distribuidor.

Te sientas a la mesa con tu nuevo distribuidor, tomas tu manual de "Cómo Iniciar" y de inmediato vas a la sección de "Activación de Memoria" y comienzas a leer:

* ¿A quién conoces con cabello rojo?

* ¿A quién conoces que conduce una mini-van?

* ¿Quién hace tus impuestos? ¿Tu corte de cabello? ¿Tu jardinería? ¿Reparaciones del coche?

* ¿Tienes a la mano tu directorio de la universidad?

* ¿Tienes una copia de tu árbol genealógico?

* ¿Tu anuario de preescolar?

Sigues y sigues, haciendo más preguntas para activar la memoria de tu nuevo distribuidor.

Tomas un momento para respirar entre tantas preguntas, miras al otro lado de la mesa a la lista de tu nuevo distribuidor y – **¡sólo hay 8 nombres en la lista!** ¡Deberían haber por lo menos 50 nombres para entonces! Miras hacia arriba para ver terror y duda en el rostro de tu nuevo distribuidor mientras se encoge de hombros y dice:

–Realmente no conozco a nadie más.

De pura frustración, haces más preguntas de tu activador de memoria… pero aún así, tu nuevo distribuidor está vacío, no hay más nombres.

¿Acaso patrocinaste a un tarado?

Hacemos coreografía con los labios a través de este incómodo ejercicio, aún así rara vez nos tomamos un momento para ver si realmente funciona o no. ¿Por qué no, por un momento, consideramos lo que está pasando por la mente de nuestro tu nuevo distribuidor? Puede que te sorprendas.

Tu distribuidor puede estar pensando:

–No quiero hablar con nadie sobre este negocio hasta que gane mi primer cheque.

O,

–No estoy cómodo teniendo a mi patrocinador para hablar con mis amigos sobre el negocio. ¿Qué tal si mi patrocinador los presiona demasiado o degrada a mis amigos?

O,

–Entre más nombres escriba, más rechazo voy a tener que enfrentar.

La mayoría de los distribuidores no son tarados ni perezosos. Sin embargo, **evitarán lo que sea que involucre un rechazo**.

¿Por qué no cambiar el ejercicio a algo que tu distribuidor **quiera hacer**?

¿Qué tal si le dijeras a tu nuevo distribuidor?:

–No tienes que pedirle a nadie de tu lista que se afilie a tu negocio de redes de mercadeo o inclusive pedirles que compren producto.

Ahora eso suena mucho más seguro para tu nuevo distribuidor. La mayoría de los miedos de tu nuevo distribuidor comienzan a derretirse.

No pedir a las personas que se afilien al negocio es **libre de rechazo**.

O quizá tienes un nuevo distribuidor que dice:

–Oh, no quiero hablar con mis amigos ni parientes. Ellos no entenderían. No podría convencerlos de afiliarse a mi programa. En lugar de eso, déjame hablar con **totales desconocidos** de otro país. Quizá trate de venderles por teléfono o a través de internet. ¿Podré publicar un anuncio, comprar alguna base de datos, o enviar algunos e-mails o postales de prospección?

Si a tus amigos y contactos cercanos no les gusta tu presentación, a los desconocidos les gustará todavía menos.

Si no podemos afiliar a personas que conocemos, personas con las cuales tenemos cierto tipo de relación positiva, ¿qué nos hace pensar que podemos afiliar a totales desconocidos?

Posiblemente pensamos que la situación cambiará si localizamos personas nuevas que no nos conocen.

Enfrentémoslo. Cuando decidimos hablar con desconocidos en lugar de nuestro mercado caliente de contactos, nos estamos diciendo lo siguiente:

* No creo en mí.

* No creo en mi oportunidad.

* No creo en mi producto.

* Estoy demasiado avergonzado como para hablar con mis amigos.

* No creo que esta oportunidad sea una buena propuesta para los demás.

* Me preocupa lo que mis amigos piensen de mí.

* Tengo miedo de que mis amigos no se afilien y que me sienta rechazado.

* ¿Qué sucede si falla mi programa? Mejor me aseguro de solamente afiliar desconocidos que no me conocen.

* ¿Qué tal si fracaso? No quiero que mis amigos y familia se enteren incluso de que lo intenté.

Y si **decidimos** mantener nuestra oportunidad en secreto de nuestros amigos y familia, ¿será eso justo para ellos?

No.

Así que antes de leer nuestro paquete de distribuidor, antes de comenzar a pulir nuestra presentación, antes de comenzar a trabajar en nuestra propia imagen personal, antes de pedir a nuestro patrocinador algunas bases de datos o publicidad, antes que cualquier otra cosa, debemos primero cumplir con nuestra única obligación en redes de mercadeo.

¿Y cuál es esa obligación?

Debemos notificar a nuestros amigos, parientes, vecinos y compañeros de trabajo que hemos decidido comenzar nuestro propio negocio de tiempo parcial en redes de mercadeo.

En este momento **nuestra primera obligación** es simplemente dejarles saber que hemos comenzado nuestro propio negocio.

Nuestro trabajo **no** es vender nuestros productos o convencer a nuestros prospectos de afiliarse.

Después vamos a **educar** a nuestros prospectos con los datos para que puedan tomar la mejor decisión por sí mismos.

Eso es todo.

Las redes de mercadeo no es un negocio de ventas de alta presión, convencimientos, manipulación, llamadas en frío o coerción. Hacer redes simplemente es dar a los prospectos una opción adicional en sus vidas, y permitirles aceptar esa opción si les ayuda a conseguir lo que desean.

Ese es nuestro trabajo – educar a nuestros prospectos. Eso es lo que hacemos como constructores de redes.

Geniales noticias para los empresarios de redes de mercadeo que van comenzando.

Como hemos visto, las redes de mercadeo no son tan complicadas después de todo. Nuestro trabajo de tiempo completo es educar a los prospectos y dejarles saber que pueden tomar sus propias decisiones.

Sin embargo, tenemos una muy seria obligación como empresarios de redes de mercadeo. Cuando patrocinamos un nuevo distribuidor, debemos decir algo como esto:

* No estás obligado a hacer muchísimas ventas al menudeo. Seguro que sería muy bueno, pero no es obligatorio.

* No estás obligado a comprar demasiados productos y servicios. De nuevo, eso sería muy bueno, pero no estás obligado a hacerlo.

* No estás obligado a acosar a tus amigos para que asistan a una junta de oportunidad.

* No estás obligado a asistir a la convención de la compañía.

* No estás obligado a dar presentaciones de patrocinio cada noche de la semana.

* ¡Inclusive, no estás en la obligación de regresarme las llamadas!

¡Wow! Ahora tu nuevo distribuidor está emocionado. La presión se ha ido. No tiene que hacer llamadas para pedir a sus familiares y amigos que compren productos o que se afilien.

Tu nuevo distribuidor está pensando:

–Ahora esta es una genial oportunidad. No estoy obligado a hacer ninguna de esas actividades. Pero espera, dijo que había una obligación. Sólo una obligación. Así que, ¿cuál es esa obligación?

Sí, nosotros sólo tenemos una **única** obligación que cubrir. Todo lo demás en las redes de mercadeo es opcional. ¿Cuál es esa obligación en nuestro negocio?

Debemos notificar a nuestros amigos, parientes, vecinos y compañeros de trabajo que hemos decidido comenzar nuestro propio negocio de tiempo parcial en redes de mercadeo.

Eso es todo. No hay nada más que sea nuestra obligación.

Verás:

* No tenemos que vender productos o servicios a nuestros amigos.

* No tenemos que patrocinar a nuestros vecinos en nuestro negocio.

* No tenemos que invitar a nuestros compañeros de trabajo a las juntas de oportunidad.

* Ni si quiera tenemos que explicar nuestro negocio o productos si nuestros parientes no nos preguntan por más información.

Nuestra única obligación es **notificar** a nuestros amigos, parientes, vecinos y compañeros de trabajo que hemos decidido comenzar nuestro propio negocio de medio tiempo en redes de mercadeo.

¿Eso significa que no tenemos que aprender presentaciones sofisticadas o tratar de mostrar nuestro programa constantemente a nuestros parientes indiferentes?

¡Sí! Exacto.

No tenemos que dar presentaciones a nuestros contactos a menos que nos **pidan** específicamente por dicha presentación.

No tenemos que empujar o vender nuestros productos a los desinteresados.

Y, no tenemos que aplicar guiones de venta intrusivos durante funerales, bodas o reuniones familiares.

¿Liberador, no es así? Es bueno quitar ese peso de nuestros hombros.

¿Y por qué es tan importante **notificar** a nuestros contactos que hemos comenzado nuestro propio negocio en redes de mercadeo?

Debido a que no queremos nunca que nos digan:

-Nunca me hablaste de tu negocio.

Si nosotros simplemente anunciamos que estamos en redes de mercadeo, muchos de nuestros contactos van a asentir con la cabeza y dirán:

–Qué bueno.

Y eso está bien.

Si estuviesen interesados, nos podrían pedir más información o asistir a una junta de oportunidad. Pero si no están interesados, podemos continuar con nuestras vidas, sabiendo que sólo se les dio la oportunidad de conocer la historia completa, simplemente preguntándonos por ella.

Algunos de nuestros contactos dirán.

–Hey, no estoy muy emocionado con mi empleo tampoco. Quiero algo más de tiempo con mi familia también. Así que cuéntame un poco sobre este negocio de redes de mercadeo, ¿puedes?

Y eso está bien, también.

Entonces podemos darles tanta información como deseen.

Si no cumples tu obligación de notificar a tus contactos personales… **cosas terribles** pueden suceder. Utilizo la historia siguiente para que los nuevos distribuidores siempre recuerden notificar a todos los que conocen.

Cómo Protegerte de un Vecino con Machete en Mano.

Imagina que has tenido tu negocio de redes de mercadeo por los últimos seis meses. Has ahorrado todos tus cheques por tu publicidad de boca a boca y ahora tienes suficiente dinero para tomar esas vacaciones de ensueño a Tahití.

Tu empleo regular cubre tus gastos mensuales, así que fuiste capaz de ahorrar todos esos cheques adicionales.

Vas al aeropuerto, y mientras ingresas al avión 747 de Aerolíneas Tahití, piensas:

–Fue una genial decisión hacer algo de redes de mercadeo en tiempo parcial. Si mi negocio continúa mejorando, ¡estaré tomando una de estas vacaciones cada tres meses! Gracias al cielo que mi patrocinador me contó sobre esta oportunidad de redes de mercadeo.

Cuando aterrizas en Tahití, eres llevado a una playa glamorosa. Las olas tranquilas del océano te ayudan a relajar en tu hamaca mientras el personal del hotel te entrega tu bebida tropical favorita. La música es relajante. La brisa es refrescante. Y puedes oler la barbacoa de pollo teriyaki sobre la parrilla, a unos metros de distancia.

¡Aaaahh! No hay nada mejor que esto.

¡Pero espera!

Miras un pequeño puntito en el horizonte, y parece moverse. Sí, definitivamente se mueve. El punto continúa creciendo. Se mueve hacia ti.

Después de ver al punto crecer más y más, te das cuenta que ese punto es, de hecho, una persona. Y, esta persona está arrastrando una vieja manta detrás suyo.

Pronto, esa persona camina hasta tu hamaca, extiende su vieja manta en la arena, y se tira para asolearse un poco. Miras hacia abajo para ver a la persona en la vieja manta y te asombras por que te das cuenta de que esa persona es tu...

¡Vecino de la casa!

¡Qué sorpresa! ¡Pero qué coincidencia! Volteas con tu vecino y dices:

–Hola.

Tu vecino sorprendido, tartamudea:

–Uh, uh, uh, eres tu. ¡No puedo creerlo! ¡Aquí estamos a miles de kilómetros lejos de casa y eres tú quien está sentado al lado mío! ¡Qué increíble!

Tú respondes:

–Yo también estoy sorprendido. ¿Cómo es que estás aquí disfrutando de unas lindas vacaciones?

Tu vecino mira hacia abajo. Su ceño se frunce y tristemente murmura:

–Bueno, tu sabes que llevo una vida miserable. Debo de mantener tres empleos sólo para pagar la renta para nuestra familia. Tengo deudas hasta las orejas. Mi crédito del auto está vencido. No tengo oportunidad de avanzar en mi empleo. No tengo ni un centavo. ¡Estoy condenado!

Así que pensé que debería tomar unas vacaciones de tres días sólo una vez en mi miserable vida, para poder tener esa bella memoria antes de morir. Y para llegar aquí, pedí otro préstamo, saturé al máximo mis cinco tarjetas de crédito, robé el dinero de la cuenta universitaria de mis hijos, inclusive rompí sus alcancías de cerdito sólo par rascar el dinero suficiente para mi pasaje.

¿Y qué hay de ti? ¿Cómo es que estás aquí?

Ahora viene el momento de la verdad.

Tu dices:

–Comencé mi propio negocio de tiempo parcial en redes de mercadeo hace como seis meses. Es realmente genial. Me pagan sólo por dejar que las personas se enteren de ello. Así que, ahorré los últimos cheques que he recibido y aquí estoy. Este negocio de tiempo parcial es tan bueno, que estoy pensando en tomar otra semana de vacaciones aquí mismo dentro de tres meses. Te digo, ¡este negocio es tan genial! Es maravilloso. De hecho, es tan maravilloso que yo… eh, eh… eh, olvidé decirte de él, ¿no es así?

El rostro de tu vecino se pone rojo. Lentamente se pone de pie y camina hacia la escultura de hielo a un costado de la parrillada de pollo teriyaki. Toma el machete, filoso como navaja de afeitar y, lentamente camina hacia ti. Tu vecino levanta el machete…

***

Ups. Mejor paro aquí antes de que se ponga feo.

Como ves, si no cumples tu obligación de notificar a tus contactos personales… **cosas terribles** pueden suceder.

Recuerda, debemos dar a nuestros contactos la oportunidad de pedirnos más información. No tenemos que forzar nuestra presentación con ellos. No tenemos que venderles productos. No tenemos que presionarlos para convertirse en distribuidores.

Todo lo que tenemos que hacer es darles información adicional si es que nos piden por ella.

De esta manera, tus parientes y amigos nunca podrán regresar contigo y decir:

–Nunca me platicaste sobre tu oportunidad.

Eso sería triste.

Y así es como evitarás ataques con machetes.

Pero si eso no funciona para ti, intenta con esta historia.

Cómo No Quedar Avergonzado Por Tu Tía.

Imagina que estás en la boda de tu primo. Esa tarde, en la fiesta, te encuentras sentado en una de las mesas con otros doce invitados.

Miras a tu tía, que en ese momento ha bebido demasiada champaña, sentada en la misma mesa. Ella está dominando la conversación y para tu sorpresa una de las primeras frases que salió de su boca cuando tomó su lugar en la mesa es:

–Acabo de unirme el mes pasado a un negocio genial, basado en casa, se llama "Oportunidades Somos Todos", ¡y me está yendo genial!

Tu no lo puedes creer, tu te uniste a "Oportunidades Somos Todos" hace más de un año y nunca preguntaste a tu tía si le gustaría unirse o incluso que tu te habías unido.

Pero se pone peor. Ella procede a repasar a todos los de la mesa, preguntando a cada persona si ya escucharon de "Oportunidades Somos Todos". Está prospectando a tu mercado caliente.

Comienzas a sudar. Estás molesto por que ella pudo haber estado en tu grupo, pero no la notificaste cuando te involucraste.

¡Y todavía se pone peor! ¿Qué dirás cuando te pregunte si has escuchado de "Oportunidades Somos Todos"?

Vas a decir:

–Sí, he escuchado de "Oportunidades Somos Todos", y de hecho me asocié hace más de un año. Pero, bueno, por que eres una perdedora no pensé que pudieras hacer el negocio jamás, así que nunca te notifiqué acerca de él.

Desearías poder escapar gateando bajo la mesa. Esto será muy vergonzoso.

Las malas noticias continúan.

Tres meses después estás en la convención nacional de la compañía. Con cada hora que pasa te emocionas más y más acerca de todos los anuncios. El evento de reconocimiento a los distribuidores comienza. Entre más alto el nivel, más admiración sientes por los que cruzan el escenario.

De repente escuchas el nombre de tu tía en las bocinas de la convención. ¿Podrá ser tu tía? No, debe ser alguien con el mismo nombre. Miras al escenario y… **es tu tía**, en toda su gloria, cruzando por el escenario para aceptar su nuevo pin de Triple Estrella Comandante Espacial Ejecutivo. Mientras la miras fijamente lleno de asombro, ¡te das cuenta que hace un guiño directamente para ti!

¡La vida no es justa!

¡Esto es peor que una pesadilla!

Tu has estado en el negocio un año más que ella, aún así, ella es la que está en el escenario, ¡cinco niveles arriba de ti!

Tu has asistido a más eventos de entrenamiento, has sido el anfitrión de tu junta local de oportunidad más veces, has leído más libros sobre el negocio, sabes mejor el plan de compensación, has entregado más folletos, has hecho más llamadas en frío, ¡incluso publicaste un anuncio a nivel nacional!

Tu frustración entra a la fase turbo.

–¿Por qué mi tía está en el escenario mientras yo estoy sentado al fondo del auditorio en la sección de hemorragia nasal – luchando sólo para saltar al próximo nivel?

Y durante la próxima hora, en silencio, fabricas historias e inventas docenas de razones distintas para justificar **por qué ella está en el escenario y tu no**.

–¡Tuvo suerte y probablemente afilió 3 líderes en su primer mes!

–Ella tiene más tiempo para hacer el negocio.

–Debe de tener un mejor patrocinador que yo.

–Debe de hacerse más fácil construir el negocio una vez que se alcanzan los niveles más altos.

–El personal de oficina la quiere más que a mí.

–Ella es más extrovertida que yo.

–Está bien si me toma 10 años más que a mi tía llegar a la cima, después de todo soy 10 años más joven así que, estaremos iguales.

–Ella tiene una mejor casa para las juntas caseras y una mejor televisión para mostrar el DVD de la compañía.

–Ella conoce a más personas por que es más grande y tiene más tiempo viviendo en la ciudad.

El fondo del asunto es que ella notificó a todos en su mercado caliente y tu no lo hiciste.

Tu tía también se asegura de que cada líder en su grupo atraviese el principio de notificación.

No importa qué más hagas en tu negocio, si no estás utilizando la notificación, las probabilidades son que tu negocio no esté creciendo tan rápido como deseas.

***

Así que, ¿no piensas que es un poco injusto no decirle a tus contactos personales sobre este genial negocio?

¿Cómo te sentirías si alguien mantuviese su compañía de redes de mercadeo en secreto contigo?

O, ¿cómo te sentirías si tu vecino renunciara a su empleo, tomara vacaciones familiares cada dos meses, y nunca te dijera nada sobre su buena fortuna secreta, mientras tú sigues esclavizado en tu empleo que tanto detestas?

Dale a tus contactos personales la oportunidad de decir:

–No, no estoy interesado.

Te puede prevenir de serias heridas por machete que arruinarían tus próximas vacaciones. Además, te puede prevenir de situaciones embarazosas en la boda de tus primos.

Notificar – no vender.

¡Fiuuu! Esa es una larga explicación del por qué debemos de notificar a todos sobre nuestro negocio. Pero echemos un vistazo a la notificación en otra manera.

La Zapatería.

Imaginemos que acabas de inaugurar tu zapatería en el centro comercial local. ¿Acaso no notificarías a todos los que conoces que abriste tu propia zapatería?

Claro que lo harías.

No los presionarías para ir y comprar zapatos el mismo día. No llevarías cajas de zapatos contigo para venderlas en la reunión familiar, y no estarías repartiendo muestras de zapatos en los funerales, ¿no es así?

Tu simplemente notificarías a todos los que conoces que acabas de abrir tu propia zapatería. Entonces, cuando el tiempo sea el **correcto** para ellos, de comprar zapatos, te contactarían.

Verás, todos necesitan zapatos, pero no todos necesitan zapatos nuevos hoy. Para la mayoría de las personas, cuando el tiempo sea el correcto, pensarán en ti y tu negocio, **si saben** que tienes un negocio.

No todos están listos para comenzar su negocio de tiempo parcial hoy. Quizá mañana. Quizá el próximo año. Pero para la mayoría de los contactos, hoy no es el día.

***

O míralo de esta manera.

Si tu hija estuviera por casarse, ¿notificarías a todos sobre la boda? Por supuesto que lo harías.

No los invitarías a una junta de oportunidad sobre la boda en puerta. Sólo los notificarías sobre la boda.

De cada 100 personas en tu mercado caliente **en este momento**, varios están buscando seriamente una manera adicional de ganar un cheque extra cada mes. Sin embargo, en la mayoría de los casos, ¡éstas personas nunca levantarán la mano avisándote que son prospectos potenciales!

¿Por qué?

Por que tú nada más contactaste a las primeras cuatro o cinco personas de tu lista, y nunca notificaste al resto. ¡Te detuviste!

Probablemente te rechazaron, te desanimaste o algo te distrajo. Eso no importa.

Lo que sucedió es que muchos de tus mejores contactos no saben que tienes un negocio.

Así que cuando te sientes con con tu nuevo distribuidor para anotar los nombres de todos en su mercado caliente, **primero comparte con tu distribuidor el principio de notificación**.

Toma el tiempo de explicar detenidamente cómo la notificación puede funcionar para él. Cuéntale una historia.

Comparte con él lo que podría suceder si no le notifica a todos en su mercado caliente.

De esa forma, en lugar de tenerlo alejándose y luchando contra ti en cada paso del camino, ¡se acercará y escribirá con entusiasmo los nombres de todos los que conoce!

Puedes hacerlo mucho más fácil para tus nuevos distribuidores cuando compartes con ellos el principio de la notificación.

El Principio De Reacción.

Las personas van por la vida sólo reaccionando ante los eventos. Son como pelotas de ping-pong.

Si el clima es bueno, están felices. Si el clima es malo, están tristes. Si su equipo gana, están felices. Si su equipo pierde, están tristes. Si ganan la lotería, celebran. Si pierden la lotería, beben cerveza y se quejan sobre cómo la vida los trata mal. Si su pareja está felíz, están felices. Si su pareja está triste, están tristes.

¿Te das cuenta de que la gente es casi 100% reactiva? Todo lo que pueden hacer es ir su vida entera **reaccionando** ante las circunstancias y ante las personas.

Así que, ¿la gente se une a tu negocio… o se une a ti? Si las personas son **reactivas**, eso significa que ellos simplemente **reaccionan ante ti**, no ante tu negocio.

Este es un principio importante para los nuevos distribuidores. No se dan cuenta que los prospectos rechazan grandes oportunidades debido a que están reaccionando ante el presentador.

Usemos algunas historias breves y ejemplos para ayudar a nuestros nuevos distribuidores a darse cuenta que ellos son la fuente de sus éxitos y fracasos.

La Ex-Esposa.

Imagina por un momento que tienes una ex-esposa y tu relación con ella es muy, muy mala. Cada vez que te reúnes con ella son sólo cañonazos, gritos y patadas.

Sin embargo, tu ex-esposa tiene un prometido. Cada vez que tu ex-esposa está con su prometido, ¿qué pasa? Beso y beso, risa y risa.

Pero, ¿la ex-esposa no es la misma persona?

Dos reacciones y comportamientos completamente diferentes debido a que la ex-esposa está reaccionando ante dos personas completamente diferentes.

***

Así que piensa en esto. Los prospectos son neutrales… hasta que se topan contigo.

Se convierten en buenos prospectos o se convierten en malos prospectos al reaccionar ante ti, lo que digas y lo que hagas.

¿Eso significa que no encontramos buenos prospectos y que de hecho nosotros los creamos? ¿Eso significa que podemos de hecho crear prospectos-a-pedido cuando los necesitemos? ¿No tenemos que salir a buscar prospectos calientes?

Sí.

Encontrar nuevos prospectos no tiene sentido, si sólo los vamos a convertir en malos prospectos con lo que decimos y lo que hacemos.

Ahora, los nuevos distribuidores no quieren asumir la responsabilidad personal por sus acciones, así que necesitarán un poco más de pruebas. Aquí hay otra historia que ayudará.

El "Coffee Break."

Tu jefe te pide que le lleves una taza de café de la cafetería ubicada en la planta alta. Tu tomas el ascensor y un desconocido está dentro del ascensor.

Y, el desconocido está mirándote, tú lo estás mirando a él, y esto es lo que haces. Le das al desconocido la más grande sonrisa de oreja a oreja que puedes.

Y si le das una gran sonrisa como esa, ¿cuál será la reacción normal del desconocido?

Sonríe.

Las personas son reactivas. Ese desconocido sonrió debido a que tú sonreíste ante él.

¿Necesitas más pruebas?

Subes a la planta alta, sirves la taza de café, una deliciosa taza de café humeante para tu jefe. Subes al ascensor y, de nuevo, otro desconocido está dentro.

Miras al desconocido, miras hacia abajo a la taza de café caliente, y haces esto:

¡WHOOOSH!

Arrojas la taza de café hirviendo hacia el desconocido.

¿Cómo **reaccionará** el desconocido?

Oh, sí. De hecho, el desconocido reaccionará violentamente. Cuestionará tus ancestros familiares, cuestionará tu inteligencia, y posiblemente dirá algunas palabras que no se encuentran en los diccionarios. El desconocido saltará arriba y abajo y estará muy, muy molesto.

El desconocido **reaccionará**.

Ahora, ¿el desconocido tiene que reaccionar? No. El desconocido pudo haber usado su poder de decisión y decir: –Esa mancha de café le hace juego a mi mancha de espagueti. Muchas gracias. Y estaba con algo de frío pero ahora mi piel ardiendo me calienta un poco.

Ahora, eso es posible, pero no es probable.

Las personas no usan su poder de decisión, ellos simplemente **reaccionan** ante lo que dices y haces.

¿Necesitas más pruebas de que las acciones de las personas dependen de lo que dices y haces?

El Almuerzo.

Hora del almuerzo. En algún restaurante. Hay una fila de 50 personas en espera de hacer su orden. Desafortunadamente, tú eres el número 50 de la fila.

Todos los que están contigo formados en esta larga fila están deprimidos. Están diciendo: –Esto es terrible. Esto me tomará una eternidad. El servicio aquí es lentísimo. Me muero de hambre. ¿No podrían contratar más personal?

Quieres poner a prueba este principio de reacción, así que haces esto.

Abandonas la fila, caminas hacia el frente de la fila. Tomas la charola de comida de la persona que acaba de recibir su comida, le das un pisotón en el pie, tomas su charola, y te vas caminando.

Ahora, ¿esa persona va a **reaccionar**? Totalmente.

Estará muy molesto.

Ahora, tomas la charola, vas al final de la fila a la persona triste que estaba delante tuyo, le entregas la charola de comida y dices: –Sé que es una larga fila, aquí hay algo de comida, ve y toma asiento. Disfrútala y no te preocupes, ya está pagada.

¿Esa persona va a **reaccionar**? Sí. Probablemente sonreirá y **reaccionará** positivamente ante ti.

Tienes el poder de controlar cómo las personas **reaccionan** ante ti. ¿Por qué? Debido a que conoces el principio secreto de **reacción**.

Así que, si todos con los que hablas son negativos y se niegan a unirse a tu negocio… ¿tendrías que cambiar a las otras personas?

No. Es imposible cambiar a las otras personas, ¿no es así?

Sin embargo, puedes cambiar lo que dices y haces, y las personas van a **reaccionar** diferente.

Si no estás obteniendo los resultados que deseas, todo lo que debes hacer es cambiar tu actividad.

***

¿Necesitas una buena historia para ilustrar cómo esto afecta tu éxito en el patrocinio? ¿Quieres ver cómo las personas están atraídas hacia ti y no a tu negocio?

El Ebrio.

Vas caminando en un barrio rudo de una gran ciudad. Es tarde en la noche y tu probablemente no deberías estar caminando por ese rumbo solo.

Mientras caminas por la acera, ves a un ebrio tirado en la acera. Está roncando fuertemente, sujetando una botella de aguarrás medio vacía, y te das cuenta que ha estado durmiendo durante un largo tiempo por que las arañas han tejido su tela entre la nariz y el machuelo. Moscas revoloteando en círculos a su alrededor, y el ebrio empieza a oler mal.

¿Y qué sucede? Cuando pasas al ebrio, tratas de evitarlo caminando en el extremo lejano de la acera. Pero, justo cuando lo pasas, el ebrio mete la mano en el bolsillo de su chaleco y ¡zas! Saca un folleto de su oportunidad en redes de mercadeo y te lo entrega.

Tú tomas el folleto entre tu pulgar y tu índice, lo alejas de tu cuerpo hasta que llegas al cesto de basura más próximo, arrojas el folleto en el cesto, con la esperanza de que no pilles alguna terrible enfermedad.

Y continúas caminando, y delante de ti está esta persona enorme, recargado contra la pared con sus brazos cruzados. Caminas más cerca y dices: –Esa persona mide más de dos metros y pesa más de 150 kilos.

Mientras te acercas un poco más, dices: –Se parece a Shaq O'Neal, la súper-estrella retirada de la NBA. Tiene que ser él, está botando un balón de basquet.

Cuando te aproximas lo suficiente para ver su camiseta, dice "Shaq O'Neal".

Te preguntas: –¿Qué estará haciendo en este barrio de noche? ¿Acaso perdió su contrato de patrocinio con la marca de tenis? ¿Estará esperando su limosina?

Mientras pasas frente a Shaq O'Neal, él mete la mano al bolsillo de su chaleco y ¡zas! Te entrega un folleto para su oportunidad de redes de mercadeo.

Ahora, ¿darías una mirada al folleto? Seguro.

El punto interesante a considerar es que ambos, Shaq O'Neal y el ebrio en la banqueta, representan a la misma compañía de redes de mercadeo. En un caso, diste una mirada al folleto, y en el otro caso, ni lo viste. Misma compañía. Misma oportunidad. ¿Qué fue lo diferente? La persona que te lo entregó.

***

Así que, ¿las personas están atraídas a empresas o están atraídas a personas?

Las personas están atraídas a otras personas. Ellos **reaccionan** ante quien eres, lo que sabes, cómo actúas y lo que dices. Tú determinas el comportamiento de tus prospectos. Es por eso que necesitamos acumular habilidades.

Así que en lugar de tratar cambiar a los prospectos, simplemente cambia lo que dices y haces, y tus prospectos reaccionarán diferente.

Una Historia Para Los Esquemas Ponzi, Pirámides Y Hágase-Rico-Rápido.

¡Shock!

Mi inútil patrocinador abrió su correo y sacó un cheque de caja por $1'000,000.

Rápidamente cambió el cheque y depositó el $1'000,000 en su cuenta de ahorros. La vida se va a poner buena.

Camino a casa desde el banco, rápidamente hizo llamadas y:

1. Contrató un asistente personal.

2. Ordenó su Ferrari.

3. Contrató una sirvienta.

4. Compró un six-pack de cerveza premium.

Después de una buena noche de sueño, mi inútil patrocinador despertó disfrutando su nueva vida como millonario.

Llamó a su asistente personal. No respondió.

Miró a la cochera, no habían entregado el Ferrari.

La sirvienta no se había presentado a trabajar.

–¡¿Qué pasa con el mundo?!– Exclamó.

Así que mi patrocinador inútil subió a su viejo auto, condujo rumbo a la ciudad para despedir algunas personas y hacer que el mundo se arrodillara ante sus deseos. Después de todo, ya era millonario.

De camino a la ciudad, John escuchó las noticias en la radio. El locutor reportó:

–Ésta será mi última transmisión. Ayer… todos, incluyéndome, ganamos $1,000,000.

***

Ahora, esa historia nunca sucedió.

¿Por qué?

Por que no hay tal cosa como "dinero fácil".

Si hubiese fórmulas secretas y sistemas de "dinero rápido" que funcionaran, todos serían millonarios. Mira a tu alrededor. ¿Acaso todos tus amigos, parientes y vecinos son millonarios? No, siguen trabajando en sus empleos.

Aún así, todos los días nuevas personas son seducidas por esquemas que suenan como esto:

"Sin necesidad de esfuerzo. Nosotros haremos todo el trabajo por ti. Hazte rico rápido. Mi fórmula secreta sólo está disponible por 19 días mas. Actúa rápido. Estoy compartiendo mi fórmula del millón de dólares por sólo $19,95 por que quiero donar para ayudar a toda la gente perezosa del mundo que no cree en dar valor por el dinero.

Y yo estaba quebrado, fui hijo de padres huérfanos, criado por lobos, no sé leer, pero esta fórmula me fue otorgada en un sueño inducido por drogas. Tengo testimonios de A.B. en Alabama y de C.D. en Florida. Y si puedes dar un clic en un mouse, puedes hacer esto, por que hay millones de personas en Internet que esperan darte su dinero..."

¿La lección? Debemos de **aprender** cómo entregar **valor** a los prospectos.

Nadie te dará $1'000,000 sólo por afiliarte a un programa de Internet. Y nadie te dará $1'000,000 si te afilias al último y más grandioso y fabuloso programa en fase de despegue.

Tenemos que entregar $1'000,000 en producto, servicio o valor. Ese es el por qué las personas nos darán $1'000,000.

Verás, en la vida tenemos que...

Pagar Nuestra Tarifa.

Imagina esto.

Hay dos personas, John y Mary.

John se convierte en empresario de redes de mercadeo. Es perezoso, no se conecta a las llamadas de teleconferencia, no llama a su patrocinador, no aprende nuevas habilidades, evita las conversaciones con prospecto, y mucho menos regala alguna muestra.

Su conocimiento "en campo" sobre hablar con prospectos es cero.

John simplemente se echa y espera por ese golpe de suerte… ¡y llega!

El prospecto perfecto, con los contactos perfectos en su momento perfecto aparece. ¡Excelente!

¿Y qué pasa con el negocio de John?

Nada.

John dice las palabras incorrectas. Su inexperiencia lo hace ver nervioso. Y su prospecto toma la decisión de no unirse.

Mary se convierte en empresaria de redes de mercadeo. Se conecta a todas las llamadas de teleconferencia que puede, llama a su patrocinador regularmente, aprende nuevas habilidades, hace presentaciones con prospectos "en vivo", y entrega muchas muestras.

Ella aprende cómo hablar con prospectos. Está acumulando experiencia.

Mientras Mary está aprendiendo, esforzándose e interactuando con prospectos, ¡el prospecto perfecto aparece!

El prospecto perfecto, con los contactos perfectos en su momento perfecto está en frente de Mary. ¡Excelente!

¿Qué pasa con el negocio de Mary?

Explota.

¿Por qué?

Por que Mary tiene experiencia. Ella estaba más confiada debido a que había interactuando con prospectos diariamente. Cada vez que entregaba una muestra o un folleto, ella aprendía un poco más sobre cómo tratar con personas.

Así que cuando el prospecto perfecto apareció, Mary sabía cómo manejar la presentación.

***

Es por eso que debemos de entregar muestras, Cds, folletos, etc. Necesitamos aprender cómo interactuar con personas en la vida real.

La moraleja de esta historia es...

¡Debemos pagar nuestra tarifa!

Por Qué Los Distribuidores Deben De Tomar El Consejo De Su Patrocinador.

Un Sangriento Cuento de Matanza Animal Sin Sentido Guía a los Empresarios de Redes de Mercadeo a la Verdadera Sabiduría.

Un asno, un león y un zorro deciden salir a cazar conejos. Después de un buen día de caza, han recolectado una gran montaña de conejos.

El león dice al Sr. Asno:

–Quiero que dividas los conejos debidamente entre nosotros tres.

Así que el asno tomó a los conejos y los colocó en tres montones iguales y dijo:

–¿Qué tal?

El león inmediatamente tiró un zarpazo al asno y lo mató.

Entonces, el león arrojó todos los conejos sobre el asno en una gran pila. El león volteó con el Sr. Zorro y dijo:

–Quiero que dividas los conejos debidamente entre nosotros dos.

El zorro caminó sobre la pila de conejos y tomó un pequeño conejo desnutrido para él y lo separó del gran montón. Dejó el resto de los conejos en el gran montón y dijo:

–Esa pila de conejos es para usted, Sr. León.

El león dijo:

–Sr. Zorro, ¿dónde aprendió usted a repartir tan equitativamente?

Y el zorro replicó:

–El asno me enseñó.

***

La lección de esta historia es que si **sólo** aprendes de **tus propios** errores, entonces puede que no sobrevivas a tu próximo error.

Sin embargo, si puedes aprender de los errores ajenos, entonces eres sabio.

Habilidades, Pero No Motivación.

Así que, patrocinaste al poderoso vicepresidente del banco. Posee habilidades con la gente, habilidades de venta, y conoce a todos en la ciudad.

El único problema es, que no ha contactado a nadie. Tiene las herramientas y habilidades, pero no la motivación para construir. Una manera fácil de comprender esta situación es con una historia.

La Pila de Tierra.

Si comprendes cómo una pila de tierra puede cambiar tu vida, entonces comprenderás lo que se requiere para ser exitoso en este negocio.

Muchas personas creen que con habilidades, entrenamientos y teniendo muchos contactos es como te haces exitoso en este negocio, pero se requiere algo todavía más importante.

Imagina una gran pila de tierra de unos seis pisos de altura detrás de tu casa. Es una pila de tierra masiva, y yo te entrenaré para que te conviertas en un profesional para hacer movimientos de tierra.

Lo primero que haré será entrenarte encima de un bulldozer. Te mostraré cómo se usan los controles, mover las palancas y la cuchilla arriba y abajo, para mover tierras. Complementaré el entrenamiento con algunas habilidades para que puedas controlar y dominar tu trabajo sobre el bulldozer.

Al día siguiente voy a entrenarte en una reto-excavadora y vamos a mover el cucharón frontal arriba y abajo y moveremos la pala trasera en todas direcciones. Eres excepcionalmente talentoso con esta retro-excavadora y trabajamos duro.

Al día siguiente te enseñaré la teoría e historia de las palas manuales y azadones. Todo esto te ayudará a conocer la historia de cómo fueron inventados y cómo los cavernícolas usaron las primeras palas. Tendrás buenas bases en los principios de los movimientos de tierra.

En el cuarto día te voy a pedir que comiences a aplicar las habilidades que has aprendido moviendo una pila de tierra.

Desafortunadamente, en tu primer día de trabajo, sales para utilizar el bulldozer y lo encuentras sin combustible. Dices: –Bueno, la estación de gasolina está a varios kilómetros, olvídalo. No usaré el bulldozer.

Caminas a la retro-excavadora y le falta el cucharón frontal. Descubres que el nuevo cucharón frontal está agotado en existencias y tomará tiempo en que la bodega lo entregue. Decides no usarlo tampoco.

Entonces comienza a llover. Tu cabello se está pegando a tu rostro. Tu ropa se está mojando y hace frío. El lodo pegajoso está en todos tus zapatos. Algunos de tus amigos van pasando por ahí y como te ves terrible, te escondes.

Dices: –Bueno, probablemente podría mover algo de este lodo a mano si fuese necesario, pero no tengo guantes y probablemente me saldrán ampollas o alguna astilla me lastime. Voy a ir adentro, a secarme, mirar televisión y terminar el día por hoy.

La pila de tierra y lodo permanece detrás de tu casa.

Sin embargo, veamos la situación de nuevo, y quizá pudo haber sucedido esto.

Te pido que vayas afuera y muevas la pila de tierra detrás de tu casa. Mientras observas toda la tierra, te das cuenta que tu bebé ha escalado la pila de tierra hasta la cima, y está jugando ahí. De repente tu bebé empieza a deslizarse hacia abajo en la pila de tierra. La tierra está colapsando alrededor de tu bebé. Tu bebé se está comenzando a cubrir de tierra.

Ahora, ¿qué es lo que harías?

Rápidamente saltar sobre el bulldozer para mover la tierra para salvar a tu bebé, pero el bulldozer no tiene combustible. Dirías: –Bueno, la estación de gasolina me queda muy lejos. Lo intenté.

¡No!

Sin pensarlo, saltarías directo sobre la retro-excavadora. La retro-excavadora no tiene el cucharón frontal, debido a que la bodega no lo tiene en existencia. ¿Qué harías? ¿Rendirte?

¡No!

Tu dirías: –Bueno, le falta el cucharón frontal pero seguramente puedo usar la pala trasera.

Y si la pala trasera no funcionara, tomarías una pala manual o un azadón. Incluso si comenzara a llover, no te importaría. Estarías ahí con tus propias manos, cavando la tierra y el lodo por que necesitas salvar a tu bebé.

Harías lo que fuese necesario, estarías motivado, e incluso si no tuvieses entrenamiento alguno, moverías esa tierra a como diera lugar, debido a que tienes un **deseo** y una **visión** y razones para hacerlo.

***

Sí, un deseo, una visión y una razón pueden ser más importantes que el conocimiento.

Debes de saber lo que deseas.

Puede ser que quieras más tiempo con tu familia, o quizá nunca más quieras dejar a tus hijos en una guardería. Quizá desees algo de tiempo de calidad con tu familia para poder tomar un crucero con ellos o hacer algún viaje a algún lugar en especial.

Todos sabemos que nuestros hijos realmente nunca recordarán todos los pares de zapatos y ropa que les hayamos comprado, pero ellos siempre recordarán esas vacaciones especiales o el tiempo que pasemos juntos.

Puede ser que detestes tu empleo. Quizá sientes que la vida te puede dar más que sólo mover papeles sobre un escritorio, de una esquina del escritorio a la otra esquina. Quizá deseas más de la vida que las interminables horas de muerte cerebral en el tráfico.

Quizá tienes un sueño de que puedes cambiar tu estilo de vida y que quieres ayudar a otro a hacer lo mismo. O quizá deseas tomar unas fabulosas vacaciones en el Mediterráneo o un crucero por El Caribe cada mes.

Tu conocimiento y habilidades son importantes, pero no estarás motivado a usarlas a menos que poseas un deseo, una visión, y una razón para hacer este negocio.

Y si no tienes el conocimiento y habilidades para hacer este negocio, bueno, tener ese deseo, esa visión y esa razón para hacer el negocio te motivará para buscar y dominar el conocimiento y habilidades necesarias.

O quizá sólo la emoción de ser nuestro propio jefe, controlar nuestra propia vida, sea suficiente para motivar a los distribuidores a tomar acción. Aquí está una pequeña historia que no es amenazadora.

Por Qué Los Jefes No Tienen Que Trabajar Y Nosotros Sí.

Un cuervo estaba sentado en un árbol, sin hacer nada todo el día. Un pequeño conejo vio al cuervo y le preguntó:

–¿Yo también puedo sentarme como tú y no hacer nada durante todo el día?

El cuervo respondió:

–Seguro. ¿Por qué no?

Así que, el conejo tomó asiento en el suelo debajo del cuervo, y comenzó a descansar. De repente, un zorro apareció, saltó sobre el conejo y lo devoró.

La moraleja de la historia:

Para sentarte y no hacer nada, debes de estar sentado muy, muy arriba.

***

Sí, en redes de mercadeo, ser tu propio jefe paga muy bien.

Hoy Puede Que No Sea Su Día.

Imagina por un momento que soy un banquero en la comunidad. Tú decides llamarme a las 7:00am para localizarme antes de que salga a trabajar. Así que me llamas a las 7:00am y dices: –Hola Big Al, tenemos una presentación de una oportunidad de negocio que me gustaría que asistieras esta noche. Será en tu área.

Ya que no soy una persona de mañanas, yo probablemente balbucee algo y cuelgue el teléfono. A las 7:00am, ¡no soy prospecto para nada!

Un poco más tarde me levanto, bajo las escaleras y tomo mi desayuno. Mientras reviso el periódico del día, un encabezado dice: "Despidos Masivos En Bancos Golpean La Ciudad"

Yo pienso: –Oh no, yo soy vicepresidente del banco local, esto no se ve bien para mí.– Así que si me llamaras a las 7:30am, te hubiese respondido: –Vaya, esa oportunidad de negocio suena bastante bien. Estaré ahí esta tarde.

En sólo 30 minutos, pasé de ser un mal prospecto a un buen prospecto.

Pero quizá no me llamas a las 7:30am. Quizá tu decides llamar a las 9:00am., después de que llegue a mi trabajo.

Bueno, en mi camino al trabajo ese día, debido a que estaba lloviendo, un auto se deslizó hasta el mío, mi auto quedó como pérdida total. Y estoy pensando: –¡Oh, esto es terrible! Reportes de tránsito, problemas de aseguradora, mi auto es pérdida total, voy a requerir un auto nuevo, y será una larga caminata al trabajo.

Así que voy caminando al trabajo bajo la lluvia, llego empapado, y suena el teléfono. Tú dices: –Hey Big Al, hay una junta sobre una oportunidad de negocios esta noche a las 8:00pm. ¿Por qué no vienes y la revisas?

¡Hablando de momentos inoportunos! Yo digo: –No, no estoy interesado. Tengo otras cosas en mi mente, te llamo luego.

Así que a las 9:00am., no hubiese sido prospecto para tu negocio.

¿Pero qué hubiese sucedido si me llamas a las 9:30am.?

Bien, a las 9:25am., el presidente del banco viene a mi escritorio y dice: –Big Al, tengo buenas noticias y malas noticias. Las malas noticias, Big Al, son que estás despedido. Tenemos despidos masivos en el banco, así que tú eres uno de ellos. Y por supuesto, las buenas noticias son que tienes el resto del día libre.

Bien, estoy comenzando a empacar mis cosas sobre el escritorio a las 9:30am. Y tu me llamas y dices: –Big Al, hay una junta de oportunidad esta noche a las 8pm. ¿Puedes venir?

Yo te contesto: –Suena genial. Estoy interesado. De hecho, ¡puedo ir y visitarte en este momento!

***

Y así es la vida. No cada minuto de cada día es un buen momento para nuestros prospectos.

En sólo dos horas y media, pasé de ser un mal prospecto, a un buen prospecto, a un mal prospecto y luego a un buen prospecto.

Así que sé paciente. Permite que los prospectos revisen tu oportunidad cuando el momento sea el correcto para ellos.

Tomando Acción.

La inundación continuó empeorando. El agua desbordó el cauce del río y destruyó el pueblo entero. A las afueras del pueblo, en tierras altas, vivía Darrell.

¿Las aguas que suben alcanzarán la casa de Darrell? ¿Debería hacer un perímetro con costales de arena? –No pasa nada.– Dijo Darrell.

–Haré una plegaria y pediré el resguardo de Dios. Estoy seguro que todo estará bien.

Las aguas continuaron subiendo. Pronto, el agua cubrió el primer piso de la casa. Darrell simplemente subió las escaleras y observó por la ventana.

Un bote pasó flotando, era el equipo de rescate de protección civil. –Hey Darrell, ¿te llevamos a suelo seco? La inundación está empeorando.

–No hay problema,– dijo Darrel, –estoy en suelo elevado, además ya recé unas oraciones. Sigan sin mí. Voy a estar bien.

La inundación si empeoró. El agua llenó el segundo piso, así que subió al techo. Darrell hizo otra plegaria rápida para pedir la protección de Dios.

Un helicóptero voló sobre la casa. El piloto gritó a través del megáfono: –¡Darrell! ¡Sube al helicóptero. La inundación está empeorando!

–No te preocupes por mí. Tengo las cosas bajo control.– Mientras el helicóptero se retiraba, la inundación continuó subiendo.

Pronto, el agua llegó al cuello de Darrell, luego, sobre su cabeza y luego era el final. Darrell pereció en la inundación.

Darrell había llevado una buena vida, así que no fue sorpresa que fuese directo al cielo. San Pedro le dio el gran tour y lo presentó ante Dios.

–Tú sabes, Dios, el cielo es genial,– dijo Darrell, –pero yo no quería llegar aquí tan pronto. Quería hacer algunas buenas obras en la tierra, pero luego llegó esa inundación. Yo pensaba que eras un gran tipo y escuchabas mis plegarias, pero después de que me llevó la inundación, me pregunto. ¿No escuchas las oraciones de tus fieles en la tierra? ¿No recuerdas que te pedí seguridad?

Dios respondió: –Hey, envié un bote y un helicóptero.

***

¿Y el punto de la historia?

Nada sucede hasta que tomemos acción. Así que, usa las historias en este libro, o crea y recolecta tus propias historias. Cuando usas historias, cosas buenas suceden.

Toma acción.

TALLERES DE BIG AL

Viajo por el mundo más de 240 días al año impartiendo talleres sobre cómo prospectar, patrocinar, y cerrar.

Envíame un correo electrónico si quisieras un taller "en vivo" en tu área.

BigAlsOffice@gmail.com

MIRA TODA LA LÍNEA DE PRODUCTOS DE BIG AL:

http://www.FortuneNow.com

MÁS LIBROS DE TOM “BIG AL” SCHREITER

Los Cuatro Colores De Las Personalidades Para MLM.

Rompe El Hielo. Cómo Hacer Que Tus Prospectos Rueguen Por Una Presentación.

¡Cómo Obtener Seguridad, Confianza, Influencia Y Afinidad Al Instante! 13 Maneras De Crear Mentes Abiertas Hablándole A La Mente Subconsciente.

MLM De Big Al. La Magia De Patrocinar.

Cómo Construir Líderes En Redes De Mercadeo Volumen Uno: Creación Paso A Paso De Profesionales En MLM.

Cómo Construir Líderes En Redes De Mercadeo Volumen Dos: Actividades Y Lecciones Para Líderes De MLM.

La lista completa está en:

http://www.BigAlBooks.com/spanish.htm

SOBRE EL AUTOR

Tom "Big Al" Schreiter tiene más de 40 años de experiencia en redes de mercadeo y multinivel. Es el autor de la serie original de libros de entrenamiento "Big Al" a finales de la década de los 70s, continúa dando conferencias en más de 80 países sobre cómo usar las palabras exactas y frases para lograr que los prospectos abran su mente y digan "SI".

Su pasión es la comercialización de ideas, campañas de comercialización y cómo hablar a la mente subconsciente con métodos prácticos y simplificados. Siempre está en busca de casos de estudio de campañas de comercialización exitosas para sacar valiosas y útiles lecciones.

Como autor de numerosos audios de entrenamiento, Tom es un orador favorito en convenciones de varias compañías y eventos regionales.

Su blog, http://www.BigAlBlog.com, es una actualización constante de ideas prácticas para construir tu negocio de redes de mercadeo y multinivel.

Cualquier persona puede suscribirse y recibir sus consejos gratuitos semanalmente en:

http://www.BigAlReport.com

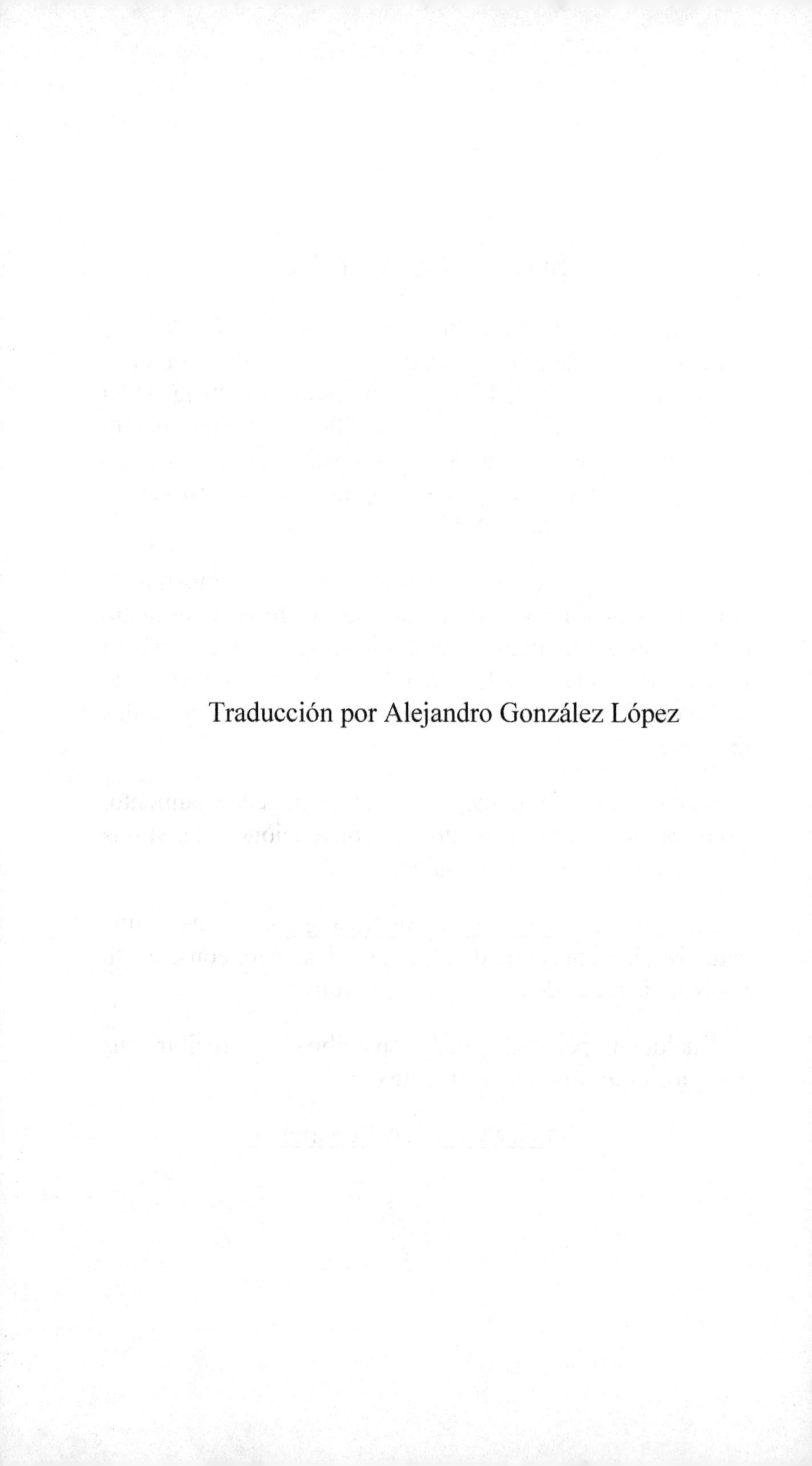

Traducción por Alejandro González López

Made in the USA
Las Vegas, NV
04 December 2023